PIERRE CLASTRES

Rakuhoku-Shuppan

PIERRE
ピエール・クラストル
CLASTRES

国家をもたぬよう社会は努めてきた

クラストルは語る

酒井隆史 訳・解題

洛北出版

PIERRE
CLASTRES

目次

contents

断絶のパッション ピエール・クラストルとその「事後効果《アフター・エフェクツ》」

解題 酒井隆史

凡例

●インタビューおよび訳註と解題における［ ］内は、訳者による補足や註記である。また、引用文中の［…］は、中略・前略・後略を示し、／記号は改行位置を示している。

●インタビューおよび引用文の中の（ ）内は、当該の著者による記述である。また、▼99といった数字は、訳者＝解題者による訳註と註の位置を示す。

●本文のなかの〈 〉記号は、原語が大文字表記の語を示すために使用した。

●［→99頁］という表記は、「本書の99ページ以下を参照」を意味している。そのページ以下に、関連する記述や用語があることを示している。煩雑だとお感じの場合は無視して読み進めていただきたい。本書の巻末の「索引」からも知ることができる。

●クラストルおよび解題者によって引用されている文献のうち、日本語訳がある場合はその訳文を参照したが、適宜に表現を変更したり訳し直したりしている。訳書は、知りえたかぎりの書誌情報を記した。参照させて頂いた訳者の方々のお仕事に感謝を申しあげる。

ミゲル・アバンスールによる序文
ピエール・クラストルの声
MIGUEL
ABENSOUR

一九六八年五月の熱気さめやらぬなか、［フランスの地方都市］カーンにてクロード・ルフォールの元学生たちによって創刊された雑誌『反‐神話』誌[1]に、ピエール・クラストルのインタビューが掲載された。これは、意外なことではない。この雑誌は、「社会主義か野蛮か」グループ[2]の歴史にとりわけ関心をよせ、このすでになきグループのメンバーへのインタビューを公刊したことで知られている。グループに参加したことはなかったものの、ピエール・クラストルは反官僚主義的潮流には共感をよせていたし、そのソヴィエト連邦に対する批判にかんしては留保なく共有していた。このことは、かれによるマルチェンコにかんするノート[3]によって裏づけることができる。このテキストは、編集委員にコルネリュウス・カストリアディスとクロード・ルフォールをもふくむ『テクスチュール』誌[4]（一九七五年第10‐11号）に発表されているのである。マルセル・ゴーシェがクラストルの著作にかんするその長大な研究に着手したのは、このおなじ号である。興味深いことに、『反‐神話』誌のインタビューには、一九七四年一二

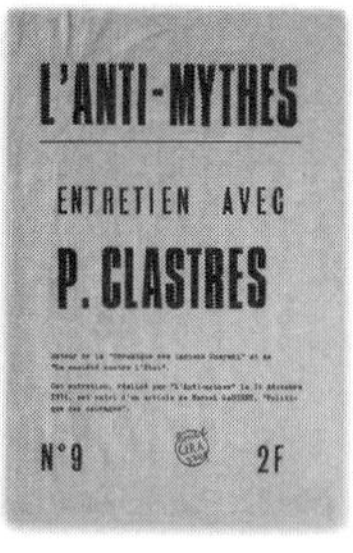

1——『反-神話』誌（L'anti-mythes）。本文にあるように、フランス北西部の都市、カーンで、クロード・ルフォールの元学生らによって発刊されていた雑誌である。一九七四年から七八年にかけて計二二号まで公刊されている。「社会主義か野蛮か」グループの歴史にとくに重心をおいて、コーネリウス・カストリアディス、クロード・ルフォール、ダニエル・モテ、アンリ・シモンらのインタビューが掲載されている。クラストルのインタビューは、第9号（一九七四年一二月一四日）に掲載された。現在ではすべての号が電子ファイル化されて、ウェブ上にアップされている（http://archivesautonomies.org/spip.php?article56）。

2——「社会主義か野蛮か」グループ、ならびにコルネリュウス・カストリアディス、クロード・ルフォールらにかんしては、解題〔→121頁〕を参照のこと。

3——この短いテキストは、以下に再録されている。Martchenko, in Anne Kuplec et Miguel Abensour(dir.), *Cahier Pierre Clastres*, Sens & Toknka, 2011, p.355. ソ連のアナトリー・マルチェンコ（一九三八-一九八六年）は、一九五八年、ささいなもめごとに巻き込まれて逮捕されたことをきっかけに、いくどかの収容を経験する。そのような経験を記した自伝を一九六九年に公刊。国際的な関心の的となった。フランスでは一九七一年に翻訳が公刊されている（Martchenko, *Mon témoignage* (trad. François Olivier), Edition du Seuil, 1971）。日本語訳には以下がある。『わたしの供述 現代ロシヤ抵抗文書8』、勁草書房、梶浦智吉訳、一九七三年。

このテキストは短いので以下に全文を訳しておく。

＊＊＊

「ソルジェニーツィンとはちがって、マルチェンコは作家でも詩人でもなかった。かれはソヴィエトの労働者であって、もし生命の危険にさらされることがなければ、ロシアのプロレタリアのごくありきたりの日常生活を踏み外すこともなかっただろう。ウォッカ、テレビ、日々のやりくり、国家のお偉方によって培養された愚かさなどからなる日常生活を。しかし、かれをほとんど死にいたらしめた、死にいたらしめるかもしれない出来事が起きた。かれは一九六〇年から一九六八年まで、収容所に収監される。かれは共謀者にも下僕にもならなかった。かれはいつも勇敢に抗議した。それとは別の偶然が、かれの証言があかるみにでることを可能にした。わたしがなにをいえるのか？ 焼き直し。焼き直すだけなのだ。だが気にするまい。マルチェンコがわれわれに告げること、それはいまでも日々、何十万という人間が、社会主義圏の再教育労働収容所で殺されているということだ。しかし、そんなことはすでに周知であるといわれるかもしれない。だれもがそれを信じている、と。マルチェンコの証言は、反体制派の証言ではない。それはソヴィエトの収容所や刑務所の穏やかなる苦労人の証言である。それは恐怖と忌むべきものの粗野な使用者についての証言である。かれは犠牲者であり、そして死刑執行人について語る。だれが死刑執行人なのだろう? 警官、警備員、拷問者、お偉い方である。つまり、社会主義の制度を飾る面々である。信じられるだろうか? この不吉なパノラマは、まるでドイツのナチズムの描写のようではないか。しかし、これは真実だ。かれらはソ連の寒々とした役人たちなのだ。だからこそ不思議なのだ。人間の解放という企てにもとづいて設立されたこの社会が、どうしてファシストにのみ比肩できるような抑圧をもたらすことができるのか? マルチェンコはソヴィエト連邦の社会学とか歴史学を学んだわけではない。かれの描きだすのは、ただこの社会学と歴史学の効果なのであり、かれの示しているのは、ボリシェビキの権力掌握とともに、擬似社会主義とおそるべき野蛮の両方がロシアの人々にのしかかったことである。あたらしい官僚という階級は、社会に対して、社会に抗して (contre la société)、無慈悲なやりかたでその権力を行使している。権力の側に属していないとき、ひとがとりうる態度は二つだけである。隷属か、狂気と死か、である。拒絶は異常の症候だ(そのような人間は正常ではない)、しかるべき精神科の治療が必要である、というわけだ。しかし、庶民にとっては、マルチェンコのような市《し》井《せい》の人物にとっては、収容所で十分である。それに、そこでだれもが、自由に発狂できるのだし。マルチェンコに狂気はおとずれなかった。ソ連の収容所や刑務所にとっての日々の糧《かて》である恐怖にもかかわらず、マルチェンコの理性は揺らぐことはなかった。かれは時折ユーモアを交えながら、全体主義体制がいま、隷属や処刑人との共謀を拒否する人々になにができるかを語っている。マルチェンコが収容所でノーベル賞をとることはないし、かれはそこで死んでしまうかもしれない。しかし、われわれはその声に耳をかたむけなければならない。かれはソルジェニーツィンとおなじ葬送の歌を唄っているのである」。

4 ——『テクスチュール』誌については、解題〔→127頁〕でも述べているので参照のこと。「社会主義か野蛮か」グループの流れにあるこの雑誌は、一九七一年から七七年まで公刊され、分裂ののち『リーブル』誌が後継的役月にマクシミリアン・リュベルが音頭をとる『マルクス学研究』[5]ですでに公表されていたマルセル・ゴーシェの短いテキストが掲載されている。注意深く検討するならば、一九七四年一二月一四日の日付をもつ第9号に掲載されたクラストルのインタビューが、コーネリウス・カストリアディスのインタビュー（一九七四年のfirst semester）とクロード・ルフォールのインタビュー（一九七五年四月一九日）のあいだに位置していることがわかる。ここからも、まさにラディカルな反全体主義の星座《コンステラシオン》の渦中から、クラストルは『反-神話』誌に関与しているのである。のちに、一九七七年夏の事故死の直前、かれは『リーブル』[6]誌の創刊に積極的に参加している。この雑誌は『テクスチュール』誌の後継であり、かれの晩年のテキストはそこで発表されている。

『反-神話』誌の編者たちにとって、同時代人の大多数とおなじく、ピエール・クラストルの初期の著作群がおどろきであったことは想像がつく。したがって、そのきわめて新鮮であった

割をはたす。一九八〇年代以降、顕在化するフランスにおける「政治的なもの」あるいは政治哲学の復権の先駆であり、それを準備した。この点についての詳細は、Franck Berthot, Textures et Libre (1971-1980) Une tentative de renouvellement de la philosophie politique en France, in François Hourmant et Jean Baudouin (dir.), *Les Revues et la dynamique des ruptures*, Presses universitaires de Rennes, 2007. を参照せよ。

5——『マルクス学研究』(Eudes de Marxologie) は、マクシミリアン・リュベルによって一九五九年に創刊され、一九九四年まで存続している。これも、すべての号が電子ファイル化され、アップされている。以下をみよ。http://www.collectif-smolny.org/rubrique.php3?id_rubrique=34

6——『リーブル』(Libre) 誌は、クラストルが創刊に参加する。

著作の大枠をあきらかにする機会をかれに提供できたことは、ただただ歓《よろこ》びであっただろう。[7]数年前には、ジョルジュ・バランディエ[8]が、その著作『政治人類学』でもって、トーマス・クーンいうところの「ノーマル・サイエンス」の枠組みを構築していた。おなじくジャン＝ウィリアム・ラピエール[9]の著作『政治権力の基礎にかんする試論』は、クラストルの「コペルニクスと未開人」における「標的」であった。あらたなパラダイムとあらたな政治人類学を生み出すことになる革命的テーゼを提示したのは、まさにピエール・クラストルだったのである。そのテーゼは三点からなる。

1

いわゆる未開社会は、まさしく国家なき社会であるが、そのゆえんは欠如ないし欠損ではなく、国家の拒絶である。したがって、それを「国家なき社会」というよりは「国家に抗する社会」と呼ぶことができるのである。「なき［不在］」から「抗する［対抗］」への移行は、社会から分離した政治権力の登場を阻止ないし妨害するよう機能する諸装置の集合体をあかるみにだす。こうした諸機構は、総体として捉えるならば、完全に成熟したまぎれもない未開の政治［politique sauvage］を構成している。伝統的な政治人類学がなにもみないかあるいはたんなる未熟な国家をしかみないところに、独特の社会的・政治的制度をつかみとることができる。その社会制度の目的は、分離した政治権力の発生に抗することで、国家の到来を阻むことにある。ということはつまり、政治は国家以前に存在するのであって、これが、政治と国家あるいは政治

7――英語版では、以下が挿入されている。

「このインタビューをおこなった三人のうちの一人であるピエール・デュメスニルが、その様子を記録しているが、それはこの時代の知的雰囲気と、対話の色合いをうまく示してくれている。

「ピエール・クラストルがわたしたちのインタビューに応じた、厳粛なる環境――コレージュ・ド・フランスのクロード・レヴィ=ストロースのオフィス――よりも、みごとな羽毛をまとったアメリカン・インディアンの実物大の彫像のほうがわたしたちの印象には残っている。わたしたちがそこにいたのは、政治的民族学者の唯一無二の思想をうかがうためなのだから、周りの環境に気をとられている余裕はなかったのだ。クラストルの最初の著作である『グアヤキ年代記』や『国家に抗する社会』に集められた諸論文は、一九七〇年代はじめにフランスでそれを読んだ者の多くに衝撃をもたらした。カーン（ノルマンディー）における『反‐神話』誌を編集公刊する小グループにとっても、そうであった。だから、わたしたちはそのメンバーの三人を、これらの著作の作者へのインタビューのためにパリに送ったのである。仲介の労をとったのが、グループのメンバーの数名の友人であったマルセル・ゴーシェであった。かれはクロード・ルフォールの元学生であり、ルフォールとおなじく、『テクスチュール』誌の編集委員のメンバーであった。『テクスチュール』誌の公刊はかなり気まぐれで、わたしたちは次号の発刊をいつも心待ちにしたものだった。わたしの記憶には、クラストルはまだとても若く（かれは四〇歳を超えたばかりであり、わたしたちはまだ二五歳にもなっていなかった）、長距離を踏破する者らしく細身であった。かれはとても穏やかに、正確に語ることに集中し――わたしたちは実際に、かれの言葉を活字にするにあたっていっさいの変更をくわえなかった――、聴き手であるわたしたちとの一定の距離を崩すことはなかった。かれはマルクス主義者でも構造主義者でもなかった。だが、わたしたちの質問がそう仕向けていたかもしれないのに、かれの応答にはそうした立場をとっている同業者に対する敵意もアイロニーもふくまれていなかった。親族にまつわる諸規範の理論もいわゆる経済決定論も権力という問題にとっては基盤となりえない、そう、端的かつ冷静に、かれはわたしたちに語ってくれたのである。というのも、かれが関心をよせたのは、まさにこの政治的問いだったのであり、その問いはかれのあまりにも短い人生を通して一貫していたからである。死の一年前に公刊されたラ・ボエシの

『自発的隷従論』の新編集版についてのコメントで、かれはこう書いている。「大多数がただひとりに従うこと、それもたんに従うのではなく、隷従すること、それもたんに隷従するのではなく、隷従することを欲するということがいかにして可能なのか、とラ・ボエシは問うている」。いまここで、かつてなく重要なものとなっているこの問いは、かれ自身の提起する問いでもあることはあきらかである。しかしそれと対称をなしているのだが、このおなじ註釈で、かれは可能なる他の世界についても語っている。未開人のもとに滞在していたとき、かいまみた世界である。「こうした未開社会は、不平等、分化、権力関係を避けるために、なにをしているのだろうか?」。そしてかれは、端緒の「答え」を与えている。すなわち「かれらが国家をもたないのは、かれらがそれを求めなかったからである。部族は首長制と権力の亀裂を維持しているのである……」。こうした社会は決定的に――もちろん、知らずしらずのうちにではあるが――国家に抗する社会であって、たんに国家のない社会であるわけではないのである。

こうした主張をつむいでいるこのインタビューが英語圏の読者にも読めるということは、最近日の目をみた――一度は失われていた――ポール・オースターによる『グアヤキ年代記』の翻訳とともに、わたしにとって望外のニュースである。おそらくたえず再発見されることが、クラストルの運命なのであろう――ラ・ボエシと同様に。あまりに若くしてこの世を去った者にとって――ラ・ボエシもまたそうだった――、これはとてもよろこばしい運命といえよう」。

8――ジョルジュ・バランディエ(Georges Balandier: 一九二〇-二〇一六年):フランスの社会学者・人類学者。著書に *Sociologie actuelle de l'Afrique noire. Dynamique des changements sociaux en Afrique centrale*, P.U.F, 1955.(『黒アフリカ社会の研究――植民地状況とメシアニズム』、井上兼行訳、紀伊國屋書店、一九八三年[抄訳])、*Anthropologie politique*, P.U.F, 1967.(『政治人類学』、中原喜一郎訳、合同出版、一九七一年)、*Le pouvoir sur scènes*, Balland, 1980.(『舞台の上の権力――政治のドラマトゥルギー』、渡辺公三訳、ちくま学芸文庫、二〇〇〇年)などがある。

9――ジャン=ウィリアム・ラピエール(Jean-William Lapierre: 一九二一-二〇〇七年):フランスの社会学者、権力や政治の理論家。

と国家の領域は根本的に区別されるという発想をみちびくのである。ピエール・クラストルの仕事のおかげで、わたしたちは必ずしも国家が存在しなくても一個の政治的領域がありうること、政治的共同体の形態がありうることを発見したのである。この根本的区別の帰結は、決定的である。要するに、国家がその玉座《ぎょくざ》から転げおちたのだ。政治の実現であるとか究極の目標とか、そういったものではなく、国家は［政治のとる］可能なる形態のひとつにすぎないこと、一個の領域の形態であること、それゆえ普遍的になる必然性もないことがあきらかになったのである。というのも政治は国家の外部で、国家に抗して展開することもありうるのだから。

2

南アメリカのインディアンの諸部族の研究が示すのは、未開の首長は、威信を有しているものの――この意義は無視できない――権力は欠いているということだ。このことの意味は、この社会の内部では、首長は権力の領域の外部に位置していること、部族の他のメンバーに命令をくだしたり、従属的な臣民に転換させたりする権力を有していないということである。分割されざる社会である未開社会の論理においては、この分割されざる状態を維持すること、支配する者と支配される者の分割を導入することで社会から分離した権力の場の登場を可能にするであろう、いかなる状況の登場も阻止することが求められているのである。にもかかわらず、権力を欠いた首長は、未開社会の根本的な要素である。かれは、他の共同体との関係のなかで、不可分の全体［totalité une］としてあろうとする集団の意志をみずから引き受ける者である。もし権力の行使をありかたをみるにあたって負債を基準とするならば、権力が社会から分離していないことはあきらかである。というのも、社会との関係で負債を負っているのは首長のほうであり、逆ではないからである。首長が、語り手としての資質を持ち合わせねばならないのは、語る義務を負っているからであり、寛大さを示す術《すべ》をわきまえていなければならないのは、物財を負っているからである。未開の首長は［共同体からの］監視のもとにある。クラストルによれば、この社会は、かれの特権への意欲が権力への欲望に転化しないよう、注意を払っているのだ。

3

ピエール・クラストルが示したのは、国家なき社会と国家のある社会、より正確には、権力が非強制的である社会と強制的である社会の対立だけではない。かれはまた、わたしたちにもコペルニクス的転換をおこなうよう促している。つまり、わたしたちのまなざしを反転させ、国家に抗する社会を中心に国家のある社会が回転するといった根源的反転をもたらすこと、それによって、前代未聞の可知性の空間を開示し、発見し、政治的なものをめぐる理解を完全に刷新することである。クラストル以後、未開社会の意味が拒絶の論理ではなく欠如や欠損の論理のうちにあるかのごとく国家から出発して国家なき社会を理解するのではなく、国家に抗する社会から出発して国家のある社会を理解することが重要になる。

『反‐神話』誌のインタビューは、事実上、論争的なテキストである。ピエール・クラストルは否認しているのではない。かれは肯定しているのだ。いったいなにを？　国家に抗する社会が、国家権力の萌芽となりうる「わずかの権力」のようなものも、「権力の連続体」のようなものものもふくんでいないことである。それによって、わたしが俗流フーコー主義と呼びたいものと、ピエール・クラストルは闘っているのである。ミクロ権力の存在にかんするミシェル・フーコーのテーゼによって、ひとは権力をいたるところにみいだすようになった。それはまちがっている。たとえば、フェリックス・ガタリである。かれはピエール・クラストルの著作に敬意を払ってはいるが、国家のある社会と国家に抗する社会のあいだの対立をあまりに粗《あら》いものとしてしりぞけている。あらゆる国家なき社会にもつねに複数の権力のかたちが存在するから、というわけだ。クラストルが、このインタビューで、権力を遍在するものとみる傾向をきびしく退けているのはこのためである。それゆえかれは、権力を規定する基準を注意深く強調しているのであり、おなじ理由から権力状況とそうではない状況をいくども区別しているのである。

権力が存在するためには、社会は命令＝服従関係にもとづいた分割［division］が存在しなければならない。社会が頂点――支配する者――と、従属する底辺――支配される者――に分割される必要があるのだ。行使されない権力は権力ではない。権力の行使があらわれるのは、頂点にある者が底辺にある者に、疎外された労働ないしそれ以外の形態のもとに貢納を収めるよう強制するという事実によってである。クラストルは、それゆえ、権力を限定的に捉えているのだ。クラストルにとって権力とはなによりも政治的なものであり、権力関係は分割によってあらわれるものなのだから。そしてその政治的分割によって、首長ないし支配的集団に対して負債を返済する義務が生まれるのである。かれはこの点にかんして、一点の曇りもない。「ところで、貢納とはなんのためにあるのでしょう？　なによりもまず、それは権力の刻印です。それは権力のしるし《シーニュ》なのです！〔…〕貢納は権力のしるしであり、同時に権力を維持する手段です。権力の領域の永続性を保証する手段なのです〔…〕」〔↓50頁〕。政治的分割がなければ、そして貢納を支払う義務がなければ、権力の状況も存在しない。社会的諸規範、すなわち、社会によってその成員に、より正確にいえば、社会によってそれ自身に対して行使される規範的権力というものの事例をとりあげてみよう。これは政治的権力ではない。この権力は指導者の手中にあるのでもなければ、特定の支配的集団の手中にあるものでもない。それは、社会がみずからに押しつけ、それを通して、社会がみずからを維持し、再生産するところの諸規範である。この権力はいかなる政治的分割にも対応していないし、いかなる貢納の要求にも翻訳されない。それは教育、規範の修得、社会化の形態をとる。クラストルが結論づけるように、わたしたちはここで政治権力の領域にあるのでも、権力状況のうちにあるのでもない。おなじことがシャーマンないし邪術師〔sorcier〕にもいえる。かれらが諸〔権〕力〔des pouvoirs〕を保有していることはうたがいがない。医者として、かれは性と死を司る者である。だが、諸〔権〕力〔des pouvoirs〕

を保有［posseder］しているということは、〈権力［le Pouvoir］〉を保持している［detenir］ということとはちがう。こうした諸［権］力は政治的性格を帯びていないからである。邪術師は予言者ではない。そのため、権力を保持している可能性には乏しいのである。

ご覧の通り、観察者が諸［権］力の存在ないし権力の連続体の存在を認めるというだけでは十分ではない。そのうえさらに、この権力が政治的領域に属しているかいなかと問わねばならないのだ。二つの基準が、この問いへの応答が可能にしてくれる。すなわち、政治的分割が存在しているのかという基準と、この権力の行使が支配される者による貢納の支払いの義務に翻訳されているのかという基準である。権力のこうした政治的性格のあるなしを認めるならば、いかなる権力状況であれ、それが本質的に国家権力へと転化するなどと決め込むことはできなくなる。これら二つの基準を適用するやいなや、観察者は、政治的権力が遍在するのではないことを認めるよう、余儀なくされるのだ。

わたしは幸運なことに、高等研究実習院でのピエール・クラストルの講義に、二年間、参加することができた。この講義は、まったくユニークなものであった。ピエール・クラストルは、大きなノート——それは決して開かれることはない——を抱えて、おもむろに語りはじめた。アカデミックな因習と予言者の儀式の狭間にあるような声音をもって、瞑想的に語った。あたかもこれまでに難行苦行をへたかのような率直な単純さをもって、かれは事象そのものに回帰せんと格闘していた。すなわち、この場合、未開社会における社会的なものにかかわる政治制度の謎、権力の外にある、権力なき首長の謎、未開社会の謎である。ぶっきらぼうで、挑発的、にじみでるアイロニー、要するに、かれを比類なき存在に仕立てている要素がいかんなく発揮されているこのインタビューは、こうしたかれの教え――ピエール・クラストルの声音、声――に近いものを提示してくれているという点で、途方もなく貴重なものである。

この声に耳をかたむけよう。自由であり、かつ他者の自由を求める、一人の人間の声。アチェの夜の歌に耳をかたむけ、ラ・ボエシャやルソーに耳をかたむけ、災厄〔malencontre〕以前の「あたらしい人間」に耳をかたむける、一人の人間の声。▼10 こうした声のすべてが、ピエール・クラストルのユニークな声とからまりあいながら、共鳴している。

10――ここにあらわれる「災厄〔災難〕」(malencontre)そして「あたらしい人間」は、エティエンヌ・ド・ラ・ボエシの概念である。「解題」〔→163・166頁〕を参照せよ。

ミゲル・アバンスール 政治哲学者。一九三九年パリ生まれ。国際哲学コレージュの議長、パリ・ディドロ大学(パリ大7大学)の教員をつとめる。クラストルや、さらには「社会主義か野蛮か」系に属する複数世代の人々とともに、雑誌『リーブル』の創刊にも参加した。アバンスールは、クラストルの死後、彼の仕事をめぐる二冊の論集を編集している。日本語訳として『国家に抗するデモクラシー――マルクスとマキァヴェリアン・モーメント』(松葉類、山下雄大訳、法政大学出版局、二〇一九年)がある。詳しくは、本書の「解題」〔→119-139頁〕をご覧いただきたい。

ピエール・クラストル
インタビュー

PIERRE CLASTRES

AM 「政治人類学」とは、あなたにとってなんでしょうか？　民族学的研究におけるあなたの現在のアプローチを、（とりわけ構造主義との関連で）どのように位置づけますか？

PC まず構造主義の問題からいきましょうか。わたしは構造主義者ではありません。ですが、それは構造主義に反対しているということではありません。おもうにわたしは、民族学者として、構造分析が有用でないフィールドで作業をしているからなのです。親族や神話を研究しているのであれば、おそらく構造主義は有効です。レヴィ＝ストロースが、親族の基本構造の分析や神話学において、はっきりとそれを裏づけています。ところが、わたしの研究領域、おおざっぱにいって、政治人類学であり、首長制や権力の問題ですが、それが有効とはいえない領域であり、別のタイプの分析が必要になると感じられるのです。神話の一群に取り組むことになるならば、わたしは否応なしに構造主義者になるでしょう。十二分にありうることです。というのも、構造主義的枠組みを用いずに、神話の一群を分析する方法がわたしにはわからないからです……神話に精神分析とかマルクスを応用したり――「神話とは未開人のアヘンである」とかね――そんなばかげたことをやるなら別ですが。でもこれは、ちょっとありえませんよね。

AM　あなたが問題にしているのは未開社会だけではありません。権力についてのあなたの探究は、わたしたちのこの社会の探究なのです。あなたの方法の基盤はなんでしょうか？　この移行［le passage］を正当化するものはなんでしょうか？

PC　移行は定義のうちにそもそもふくまれているのですよね。［定義しましょう］わたしは民族学者です。ということはつまり、わたしの研究対象は未開社会▼[11]であり、もっと絞り込めば、南アメリカです。わたしはフィールド調査を、すべてそこでおこなっています。さて、ここでは民族学ないし人類学内部の区別からはじめましょうか。未開社会とはなんでしょうか？　それは国家のない社会です。国家のない社会を対象とすることは、必然的にそれとは異なる社会、つまり国家のある社会を対象とすることです。問題はどこにあるのでしょうか？　それのどこが、わたしの関心を惹《ひ》くのでしょう？　なぜわたしは、それを考察の対象とするのでしょう？　わたしには国家のない社会がなぜ国家のない社会であるのかが不思議なことなんです。そして、未開社会に国家がないとしたら、その社会が国家を拒絶する社会であり、国家に抗する社会だからであるようにおもわれるのです。未開社会における国家の不在は、欠如の反映なのではありません。なぜ国家が不在なのか。その社会がいまだ未熟な段階だから、不完全だから、というわけではないのです。あるいは、規模が小さすぎるからというわけでも十分に発達していないからというわけでもありません。なぜ国家が不在なのか。それはまさしく、その社会が広い意味での国家、すなわち権力関係というミニマルなかたちで規定されるような国家の拒絶の結果なのです。したがって、国家のない社会ないし国家に抗する社会について語ることは、国家のある社会について語ることでもあるわけですが、予見しうる筋道を必然的にたどるがごとき移行は存在しないということになります。この移行に由来する問いがあります。つまり、国家はどこからやってきたのか、国家の起源とはどのようなものか、といった問いです。しかし、そこには二つのまったく異なる問いがひそんでいるのです。つまり——、

11—— 「未開社会」の原語はles sociétés primitivesである。このばあい形容詞であるprimitivesには「未開」という日本語があてられているわけだが、ややこしいのはsauvageにも「未開」という訳語がしばしばあてられていることである。一般的にいうと、古くから用いられてきたsauvageという概念は、十九世紀にはより「科学的」なprimitifに置き換えられ、二〇世紀になると、そのprimitifも、それがはらむ社会進化論的含意が忌避され用いられなくなったとされている。ところが、さらにその状況も変わる。これについては、レヴィ=ストロースがこう述べている。

「「未開社会［sociétésprimitives］」という言い方が［かつては］よく用いられましたけれども、これは古くさくなりました。

「原始社会［sociétés archaiques］」とか「無文字社会［sociétés sans écriture］」ともいわれます。文字の有無は客観的だし、うまい基準だと思います。社会内部での知識の継承法に関して、文字の有無がいくつかの根本的変化をもたらすからです［…］ですから、私としては、「無文字社会」という定義を好んで受け入れたいと思います。／でも今では、primitif（未開、原初）という用語も、はじめてこれを用いた人たちが思い浮かべた「未開」とはまったく別の意味で、ある真実をついているのではないでしょうか。人間社会が自分の歴史に対してどのような態度をとるかが問題なのです［…］私たちの社会の特徴は、歴史に、もしくは自分が歴史についてもっているビジョンに、発展の内的動力を求めようとする姿勢です。それとは反対に、民族学の対象となる社会の多くは、私たちとまったく同じように歴史をもっているにもかかわらず、みずからの歴史を否定しようとし、現状は、造物主がその社会と律法を作り定めた昔と同じであり、ずっと同じであったと想像したがっています。それはもちろん幻想です。それは「原初的［primitif］」ではないのだろうけども原初的であろうと望み、原初的だという幻想に身をゆだねている社会です。この意味でならば、この「原初的」という意味でprimitifという語を用いるのは正しいと思います」（『構造・神話・労働』、みすず書房、一四六頁）。クラストルがあえてsociétés primitivesという概念を手放さないのもこのレヴィ＝ストロースの言葉が説明しているだろう。しかしさらに問題がある。sauvageである。このsauvageもprimitifよりさらに古い用法であるものの、クラストルは積極的に用いている。いうまでもなくレヴィ＝ストロースも、未開人の思考をla pensée sauvageとして積極的に位置づけたわけである。しかし、pensée sauvageが「野生の思考」という日本語で浸透しているように、sauvageには「野生」あるいは「野蛮」という訳語があてられることも多い。いっぽう、sauvageにもprimitifとおなじく「未開」があてられる傾向も強い。sauvageとbarbarianがしばしば対比的な概念として重要な意味をもつことをかんがみると、sauvageを「野蛮」と訳すことはむずかしい。もちろん「野生」と訳す手はあるが、そうすると「野生」と「野蛮」との区別がつきにくい。ここでは、暫定的に（そしてレヴィ＝ストロースがprimitifについて述べたのとおなじような意味で）、sauvageにも「未開」をあて（「開く」ことをテロスとした概念ではなく、むしろ積極的に「開かれぬ」ことを意志しているというニュアンスを込めて）、必要な場合、原語を添えるかルビをふるようにしたい。

――未開社会はどのようにして国家をもたぬように努めていたのか？
――国家はどこからやってきたのか？

という二つの問いです。ところで、「政治民族学」とはなんでしょうか？　もし「未開社会――国家のない社会――における権力の問題を分析することによって、わたしたち自身の社会をめぐる政治的思考になにがしかの寄与ができるのか？」と問われるならば、答えははっきりとイエスです。ですが、それが必ずや寄与できなければならないというわけではありません。わたしは、みずからの問いを、徹頭徹尾アカデミックな領域とはいわないまでも、少なくとも純粋な社会人類学の領域にとどめておくこともできたでしょう。未開社会は国家をもつことを回避するためになにをおこなうのか？　国家はどこからやってきたのか？　わたしはここでふみとどまり、純粋に民族学の領域にのみ閉じこもることもできます。そして概していえば、わたしはそうしてきたといえます。しかし、その考察や研究がわたしたちの社会で起きていることがらについての思考の糧《かて》になることもうたがいえないのです。未開社会がまさにヒエラルキー的分化〔difference hierarchique〕を阻止する社会であるとしたうえで、社会の分割▼12〔division〕の起源、ないし不平等の起源について、検討し、考察をめぐらせているわけですから。こうして、マルクス主義の問いがほとんどただちにあらわれるのです。

AM　もう少し突っ込んでもらえませんか？　マルクス主義的傾向の強い民族学者とあなたとの関係はどのようなものなのでしょう？

PC　わたしとマルクス主義者の同業者との関係の特徴は、わたしたちの仕事、わたしたちの著作物にかんする見解の不一致であって、必ずしも個人的な不和ではありません。［とはいえ］ほとんどのマルクス主義者は正統派の思想家です。ほとんど、というのは、幸いにもそうではない

12――　クラストルにおいては、「国家に抗する社会」と「国家のある社会」を画する動態である支配する者と支配される者の分岐に該当する用語として、division あるいはそれに対立する語として indivision、とくに社会から自律した、つまり分離した審級としての権力機関については séparé という形容詞などが多用される。これまでの訳書では、division に対しては、いくつかの語彙があてられてきた。区分化、分化などである（デュルケームの『社会分業論』の原語は *De la division du travail social* である）。本書では、これまでのすぐれた翻訳――とりわけ毬藻訳――をなるべく踏襲するという方針をとっているが、division については基本的に「分割」という訳語をあてる（ただし、階級の division といった表現のようなときには「分解」――階級分解――をあてるなど例外はある）。毬藻訳では「分化」が原則としてあてられているが、生物学などでの用法などもふまえたうえで、ここでは原則的に「分化」という訳語は differenciation にあてる。なお séparé した権力ないし権力機関などといった表現においては、séparé には「分離した」という表現をあてる。

ひとも存在するからです。ですが、正統派マルクス主義者たちが固執するのは、マルクスの精神よりは字面《じづら》です。で、かれらにはどんな国家の理論があるのでしょう？　道具的に理解された国家の理論です。つまり、国家とは、支配階級が被支配階級に及ぼす支配のための道具であるというわけです。論理的にも時間的にも、国家は、社会が諸階級に分解してはじめて、ということは、富裕者と貧困者、搾取者と被搾取者が存在したあとにあらわれる。国家とは、富裕者が、よりうまく貧困者や被搾取者を搾取し、ごまかすための道具というわけです。［ところが］未開の国家なき社会の範囲にとどまる研究と考察にもとづくわたしの印象では、実際に正しいのはその反対です。対立する諸社会集団への分割、豊かな者と貧しい者への分割、搾取者と被搾取者への分割がまずあって、それ以外のすべての分割の基盤となるというのではありません。そうではなく、初発にある分割は、命令する者と服従する者のあいだの分割です。ということは、すなわち国家なのです。というのも国家とは、根本的にはまさにそれ、権力の座にある者とこの権力に従属する者への社会の分割だからです。いったん国家が存在すると、つまり、命令／服従関係、ということは他者に命令をくだしそれに従う他者が存在するようになると、すべてがこのときから可能になるのです。というのも、権力を保持し、命令をくだす者は、他者を望むままに動かす権力を有しているのであり、まさに権力を保持しているがゆえに、かれは、他者に向かって「働けよ、そしてわれに奉仕せよ」と命じることができるからです。要するに、権力を保持する者は、容易に搾取者、つまり労働を強いて他者におこなわせる者にも転化できるのです。しかし問題なのは、未開社会である社会的諸機械が機能している様式を真剣に考察すると、どうしてこの社会が分割可能であるのか、要するに、豊かな者と貧しい者の分割が可能であるのか、わからなくなるということです。というのも、すべてがまさに、この分割の発生を阻止するために機能しているからです。そのいっぽうで、わたしの考えでは、もし権力関係が先にくると考えるならば、はるかに視界が開け、はるかに多くのことが理解でき、不明瞭であったいくつかの疑問も晴れるでしょう。こうした問題について理解を深めようとおもうのなら、国家の起源にかんするマルクス主義の理論をひっくり返す必要があるとわたしが考える理由が、これなのです。これは大きな意義をもち、かつ、的《まと》を射たポイントです。わたしの考えでは、国家はある階級がある階級を支配するための道具ではないし、それゆえ、先行する社会が分割してあらわれるものではない。その反対であって、国家こそが諸階級を生み出すのです。このことを示してくれるのが、国家のある非西洋社会の事例です。ここでわたしが念頭においているのが、とりわけアンデスのインカ帝国です。ですが、それだけでなく、まごうことなき西洋の事例もたくさんあげることができます。さらには、とても現代的な事例をあげることもできるでしょう。つまり、ソヴィエト連邦です。もちろん、わたしは単純化をしています。わたしはロシアの専門家でもなければ、クリムノロジスト［ソ連政府問題研究者］でもないのですから……ですが、距離をとって、とはいえとんでもなく遠いというわけではないぐらいの距離をとって、おおづかみにみて、結局のところ、一九一七年のロシア革命はなにをやったのでしょうか？　それは、単純にひとつの階級を根絶することで、階級関係を廃絶しました。すなわち搾取者、ブルジョワジー、大地主、貴族、そして君主制にかかわるすべてにともなう国家機構を根絶することで、階級関係を廃絶したのです。その結果、分割された項の一方が根絶されたのだから、分割されざる社会が残されたといえるのかもしれません。その結果あらわれたのは、分割されざる社会であり、そのトップには、働く大衆、すなわち労働者や農民のために権力を保持する国家機械（共産党が支える）が君臨することとなった、と。なるほど、いいでしょう。それで、現実において、ソヴィエト連邦とはなんでしょう？　あなたが共産党員であるのなら別ですよ。その場合、ソヴィエト連邦とは、社会主義とか労働者国家などなどの体現者なり、なんてことになるのでしょう。［そうではなく］神学とか教理問答にどっぷり浸かってたり、まったくの暗愚であったりというのではない人間にとって、ソヴィエト連邦とはなんでしょうか？　それは一個の階級社会です。この言葉を使うのになぜ躊躇しなければならないのか、わたしには理解できません。それは階級社会であり、純粋に国家装置から構成された階級社会なのです。それは諸階級の系譜学をみるに格好の事例であるようにもおもいます。つまり、富裕層と貧困層、搾取者と被搾取者からなる諸階級の系譜学です。この分割、すなわちこの社会の経済的分割は、国家装置の存在からはじまっている。共産党を中核とするソヴィエト国家は、一個の階級社会を形成しました。たとえば、ロシアのあたらしいブルジョワジーです。かれらは、一九世紀ヨーロッパのブルジョワジーに獰猛さにかけてはひけをとりません。わたしはこのことを確信していますが、国家が諸階級を形成するという、一見すると常軌を逸した《シュルレアル》主張をおこなうとき、これを裏づけるのは、インカ帝国やソヴィエト連邦のような、わたしたちのものとはまったく異なる世界なのです。たとえば、古代エジプトとか、あるいはマルクスがアジア的専制と呼び別の人々が水力文明と呼んだ文化や社会の専門家であれば、わたしに同意してくれることでしょう。[13] 政治的分割があらわれ、それからきわめてすみやかに経済的分割が生まれる。そんなさまをかれらは示してくれるとおもいます。つまり、服従する者が貧者であり被搾取者となり、命令する者が富者であり搾取者となるのです。ここに意外な要素はなにひとつありません。というのも、権力を保持するということは、行使することだからです。行使されない権力は権力ではない。とすれば、権力の行使はどのようにして起こるのでしょうか？　他者をみずからに奉仕すべく働かせることによってです。疎外された労働があって、それが国家を生み出すのではありません。わたしの考えでは、正反対なのです。要するに、権力から、つまり権力の保持［la detention du pouvoir］から出発して、疎外された労働が生まれるのです。疎外された労働とはなんでしょうか？「じぶん自身ではなく、他者のために働く」、あるいは、「じぶん自身のために少し、他者のために多く働く」といったことです。権力を保持している

13――アジア的専制、水力文明。ここでは、カール・ウィットフォーゲルの『オリエンタル・ディスポティズム』が念頭におかれている。この含意については、解題（↓190頁）を参照せよ。

人々は、他者に向かってこういうことができます。「働けよ、そしてわれに奉仕せよ」と。まさにここから疎外された労働がはじまるのです！　疎外された労働の最初の形態でありもっとも普遍的な形態は、貢納の支払い義務です。「われ権力を保持する者なり、しかるになんじら服従すべし」と宣明したとしても、わたしはそれを証立《あかし》てねばなりません。そこでわたしは、貢納の支払いを義務づけることで証立てるわけです。つまり、あなたの活動の一部を、わたしの独占的な利得に振り向けさせることで、証立てるのです。まさにそれによって、わたしは権力を保持する者というだけでなく、他者を搾取する者でもある。貢納と呼ばれるこの制度なくして、国家機構は存在しません。権力を保持する人間の最初の行動は、貢納の支払いを要求すること、みずからの権力を行使する者による貢納の支払いを要求することなのです。

さて、次のように問われるかもしれません。「かれらが服従するのはなぜか？　かれらが貢納を支払うのはなぜか？」と。まさにこれが国家の起源の問いなのです。わたしに確たる答えはありません。ですが、暴力による命令だけではないなにかが権力関係のうちにはあるのです。それ「暴力による命令」はとてもかんたんです。問題をたちどころに解決するのですから！　なぜ国家が存在するのでしょうか？　特定の人間ないし特定の集団が、「われ権力を保持する者なり、しかるになんじら服従すべし」などといったとしましょう。しかし、ここでは、あなたには二つの反応がありえます。ひとつは、「しかり、そなた権力を保持する者なり、しかるに、われ服従せり」。もうひとつは、「さにあらず、そなた権力を保持するにあらず、われ服従せざることがその証なり」。こんな反応をしてしまったら、あなたは狂人呼ばわりされるかもしれません。あるいは殺されてしまうかもしれません。服従するか、それとも服従しないか。いずれにしても、さまざまな社会において、そこここに国家が立ちあらわれるとき、このような権力の承認があることはまちがいありません。実のところ、権力関係の起源、国家の起源の問いは、わたしの考えでは、二重です。すなわち、頂点にかかわる問いと底辺にかかわる問いがあるのです。

——頂点にかかわる問いはこうです。ある場所のある時点で、だれかがこういったとします。「われは王なり、しかるになんじ服従すべし」。これを可能にするのはなんでしょうか？ ピラミッドの頂点にかかわる問いがこれです。

——底辺にかかわる問い、ピラミッドの底辺にかかわる問いはこうです。集団全体を恐怖でもって支配するために十分な力、十分な暴力の能力をそなえた一人の人間ないし集団が存在しないときでも、なぜひとは服従することに同意するのか？

ですから、なにか［暴力による命令とは］異なるなにかが存在するのです。服従への同意は、なにか別のものに由来している。それがなんであるのか、わたしに確たることはいえません。わたしは研究者ですから、探究しているのです。とはいえ、さしあたりいえることがあるとしたら、この問いは重要なものであるにしても、はっきりした答えがあるわけではないということです。

しかし、もし権力関係の起源の問い、そして国家の起源の問いについて真剣に考えるのならば、この底辺にかかわる問い、なぜひとは服従するのかといった問いを手放すわけにはいきません。

AM 『社会契約論』のはじめのほうで、ルソーがすでにその二つの問いを発しています。ひとりの人間がつねに最強であるほど十分な力をもっているわけではないときでも、なぜ国家が存在するのか？ そして、このようなとき、なにが政治権力を基礎づけるのか？ 『国家に抗する社会』でのわたしの印象は、あなたのアプローチとルソーのアプローチには類似性があって、ともにきわめて重要な意義をもつ繋留《けいりゅう》点があるというものです。つまり小社会を参照していることです（ここではルソーのジェノヴァ、コルシカ、スイスの渓谷の小都市との関係を想定しています）。そして、そうした研究が政治権力の起源の問いに向かっていくのです。

PC、それは研究ではありません。まさにそれこそ、未開社会がわたしに教えてくれたことなのですから……。ここで、わたしたちは若干ちがった視角から語っているようにおもえます。ですが、実質的に、わたしたちはおなじ土俵にあります。国家なき社会の必要条件とはなんでしょう？　ひとつは、それが小規模であることです。この点で、あなたがルソーにかんして今おっしゃったことにわたしは近いのです。なるほど、未開社会は小規模であるという事実を共有しています。人口動態的にも、領土的にも、小規模であるということです。そして、このことは、こうした社会のなかに分離された権力の出現がないことの根本的必要条件です。この視点からみれば、未開の国家なき社会と国家のある社会とは、あらゆる点で対立しています。未開社会は、小規模で、限界づけられ、縮小傾向をもち、たえず分裂し、多元的なものの側にあります。国家のある社会は、その正反対です。それは、成長、統合、一体化、〈一なるもの〔l'Un〕〉の側にあります。未開社会は、多元性にかかわっています。国家のある非-未開社会は、〈一なるもの〉の社会です。国家は〈一なるもの〉の勝利なのです。

あなたはルソーに言及されました。それにくわえて、わたしたちはまた、根本的な問い、すなわち、先ほどわたしが提示した問い、底辺の問いと呼んだ問いを提起した別の人物をあげることもできるでしょう。命令する人間よりもはるかに強力で数も凌駕しているようなときでも、なぜ人々は服従するのか、という問いです。これは謎めいた問いであり、いずれにしても重要な問いです。ラ・ボエシ[▼14]が、ずいぶんむかしに鮮やかな仕方で『自発的隷従論』で提起した問いです。それは古い問いです。しかし、だからといって、この問いが時代遅れであるというわけではありません。この問いが時代遅れであるなんて、わたしはおもいません。逆に、まさにいま、この問いに立ち返るべきなのです。そしてそれは、「マルクス主義」の泥沼から少しだけ脱出することを意味しています。おおざっぱにいって、「マルクス主義」において、社会の現実は経済的なものに還元されます。ところがそれはおそらく、政治的なもののうちにより いっそうみいだされるべきなのです。

AM　あなたはマルクス主義の問題に必然的に対決することになるとおっしゃいました。それでは精神分析的な分析枠組みについてはいかがでしょうか？　精神分析について、なぜあなたは語ることがないのでしょうか？

PC　それとこれとはちがっています。申し上げねばなりませんが、わたしは精神分析にかんしては、実質的に無知です。わたしが精神分析にふれないのは、この教養の欠如によるものです。くわえて、わたしは精神分析を必要としていません。じぶんの研究には、精神分析的解釈の助けを必要としていないのです。たぶんこのことが、わたしの限界になっているのかもしれませんし、それによって、しなくてよい遠まわりをしてしまっているのかもしれません。ですが、さしあたり、わたしは必要を感じていないのです。それに、数少ないとはいえ民族学と精神分析をカバーする論文を読んだかぎりでいうと、わたしは刺激を受けませんでした。権力の問いについての議論のなかで、権力への欲望について、あるいは、その対極である従属への欲望について語るわけですが、「欲望」が精神分析の語彙のひとつであり道具立てのひとつであることはよくわかっています。ですが、それについてわたしが参照しているのは、ヘーゲルやカール・マルクスです。わたしが参照しているのは、実際には、かれらのほうであることが多いのです。まぁ要するに、わたしは精神分析についてよく知らないんですね。ほとんど無知といってもいいです。ですが欠落だと感じることはありません。もちろん、わたしが袋小路に陥ったと感じ、精神分析にその脱出をみいだすこともあるかもしれません。その場合は、精神分析に取り組むことになるでしょう……。ですがさしあたり、わたしは精神分析という道具立てを必要とはしていません。反対に、たぶんそれは、わたしのもろもろの観念を混乱させてしまうでしょう。観念だったら、痛手は大きくはありません。ですが、それは現実を混乱させてしまうことでしょう。

AM　未開社会と非未開社会のあいだの区別の基礎は、一方が分割され、他方が分割されていないことであると、あなたはおっしゃっています。ですが、なるほど、豊かな者

14——エティエンヌ・ド・ラ・ボエシ（Étienne de La Boétie：一五三〇－六三年）。クラストルにとってきわめて重要な意味をもつ思想家である。解題〔↓161頁〕を参照せよ。

と貧しい者、搾取者と被搾取者とに分割されてはいないにしても、グアヤキ[15]には別の分割が存在しています。いうまでもなく、男性と女性、そして正常者と逸脱者です。たとえば、『グアヤキ年代記』で、あなたは二人の同性愛者を例にあげておられます。一人は規範に適応していますが、他方はそうではない[16]。かれはみずからの立場が異常であると感じているわけですが、そのようなかれの感じ方をもたらしているのは、どのような種類の権力の行使なのでしょうか？

PC　ここでわれわれは、少し距離ができてしまいましたね。どのような種類の権力か、とおっしゃいました。なんというのか……集団の観点から、共同体の観点から、社会の倫理の観点から……「の権力の行使でしょうか」。これは特殊な事例なのですよ。つまり、グアヤキは、狩猟社会なのです――というか、狩猟社会でした。というのも、いまではかれらについて過去形で語らねばならないからです。というわけで、狩人ではない者は、ほとんど完全なるマイナスなのです。この男には、選択肢がない。つまり、狩人でないとしたら、かれは実質的にはもはや一個の男性ではない。そこから、この社会の別の側、別のセクターである女性の世界へと投げ入れられるには、ほんのわずかの距離です。ですが、これを権力の観点から語ることができるかはわかりません。いずれにしても、それはこれまで使ってきたような意味での、つまり政治的性格をもった権力という意味での権力ではありません。

15――　グアヤキ。南アメリカではめずらしいとされる非定住的狩猟民であり、クラストルの最初のフィールドワークの対象であった。言語の系統としては農耕民の多いトゥピ・グアラニ系に属している。『文化人類学事典（縮刷版）』（弘文堂、一九九四年）の解説（木村秀雄による）では、以下の通り。「パラグアイ南東部のブラジル国境近くに住む民族。言語はトゥピ・グアラニ語族に属する。居住地一帯は、野蛮なグァ《ママ》ラニと呼ばれカユア（Cayua）またはカイングァ（Caingua）と総称されるチリパ＝グァラニ（Chiripá-Guarani）やムブヤ＝グァラニ（Mbyá-Guarani）も住んでいる地域であるが、その中でもグァヤキは最も遅くまで伝統的生活スタイルを守っていたグループである。動物にも等しい野蛮人として扱われ、多くの人が無慈悲に殺されたため人口は激減し、一九七〇年代に四四〇人となった。現在の居住地は、グァヤキにたいして国が割り当てた居留地を含めて六カ所に分かれている。農耕を全く行わない狩猟採集民であり、その他のパラグアイ狩猟採集民たちと同じく、蜂蜜が採集するものとして重要であった。簡単な家を作ることはあるが、定着村落を持たず、キャンプをはりながら移動を続けていた。移動の単位は二〇人ほどのメンバーで構成されるバンドである。居住規制は妻方であり、バンドのリーダーシップはバンドに加入した夫から次の世代の夫へと継承されることになる。現在では狩猟採集経済から定着農耕経済への移行が不可避になり、居留地などではそのための指導が行われている」（二一八頁）。

クラストルは、一九六三年一月から六四年一月まで、およそ一年にわたって、このグアヤキ・インディアンのもとに滞在している。かれにとって、これが最初のフィールドワークであり、その調査はモノグラフ『グアヤキ年代記』として結実した。当時、グアヤキは、もっとも孤立し、もっとも研究されることが少なかったとされている。

AM　それが、非強制的権力なのでしょうか？　しかし、だれにもどのような権力も結晶化することがないとしたら、権力が少数の個人に結晶化することがないがゆえに［その社会は］権力なき社会といえるのではありませんか？　ところが、それでも分割が存在し、［それに由来する］社会的な非難が存在する。それによって、個人は好き勝手にふるまうことがない。たとえば、夫婦関係にかんしていえば、妻が第二の夫をもつことを拒否する男性でも（『グアヤキ年代記』）、しばらくするとあきらめて、大勢にしたがうわけですよね。▼17　とすれば、行動にかかわるもろもろの規範は存在する、しかるに権力は存在する、ということになりませんか？

PC　こうした規範は社会総体に支えられています。特定の集団によって社会総体に押しつけられているわけではないのです。それらの規範は、社会自身の規範なのです。この規範を通して、社会はみずからを維持しています。万人に尊重されている規範なのであって、だれかによって押しつけられたわけではない。未開社会の規範、未開社会のタブーなどなど……わたしたちの法に似て、そこには、つねにいささかの裁量の余地があります。しかし、いずれにせよ、それらの規範は、社会のなかの特定の集団の規範ではありませんし、したがって、その特定の集団によって残りのメンバーに押しつけられるというような規範ではありません。それは権力の問

16―― この二人のジェンダー区分への「不適合者」については、『グアヤキ年代記』の第七章「同性愛者の生と死」のみならず、『国家に抗する社会』の第五章「弓と篭」も参照せよ。

17―― おそらくこれは『グアヤキ年代記』第五章における次のエピソードが念頭におかれているようにおもわれる。それはクラストルの滞在より八、九年前の出来事である。すでに部族の指導者であったジュヴクギには「美しい」キミラギという妻がいた。彼女はある日、木の実を集めるため、宿営地から離れた場所へひとりで出かけた。そこには若い男性のキュブウユラギが待ち構えていて、彼女を襲った。キミラギは、キュブウユラギとの情事を気に入り、その継続を望む。それが、ジュヴクギの知るところとなる。この若い男性の成人への通過儀礼をとりしきり、一種の父親的役割でもあったかれは怒り狂い、矢をやみくもに放つなど手の着けようもなく暴れた。母親をはじめとする女性たちによってなんとかなだめられるものの、かれは共同体を去ることを決意する。数家族がかれについていき、分裂してあらわれた二つのバンドのあいだには一触即発の険悪な空気が漂った。それを危惧したジュヴクギの父親が単身説得に乗り込み、すでに怒りもおさまっていたジュヴクギも説得に従うことになる。「なぜなら首長として彼はすべてのアチェ・ガトゥに対して責任を感じていたからであり、他方彼には妻がいなかったからである［…］それで彼は諦《あきら》めて、このような場合に男たちが最終的に採用する解決策を受け入れることにした。」Pierre Clastres, *Chronique des indiens Guayaki : les Indiens du Paraguay, une société nomade contre l'Etat*, Plon, 1972, p.168.（『グアヤキ年代記――遊動狩人アチェの世界』、毬藻充訳、現代企画室、二〇〇七年、二一一頁）。その「解決策」とは以下のようなものである。「一人の独身男性が一人の既婚男性と女性をめぐって競合関係になったとき、その状況をなかば非公認的なものにして悪化させるのではなく――これは必然的に社会のなかに混乱の種を蒔き、二人の競争者の同盟者や両親のそれぞれを対立させることになるだろう――、またそれゆえ部族にとって致命的な結果をもたらす危険を冒すのではなく、世論の圧力の助けを借りて、むしろ次のように決めるのである。「秘密の」愛人は、彼が配偶者としている女性の公式な「第二の夫」となるのである。そのときから、男たちの競合関係は取り除かれ、もはや夫たちだけがいることになり、対立する欲望の複数性は、一妻多夫的な結婚の単一性のなかで解消されるのである」(同右)。

題ではないのです。それでは、だれの権力なのでしょう？　だれに対して行使される権力なのでしょう？　それは一体化した全体〔un tout unitaire〕としての社会の権力です。その社会は分割されていません。それゆえ、それは、社会を構成する諸個人に行使される、一個の全体〔un tout〕としての社会の権力なのです。それではこうした規範がどのようにして、学習され、獲得され、内面化されるのでしょうか？　生活や子どもの教育などなどによって、です。権力の場にはだれもいないのです。未開社会における子どもに対する父親の「権力」、妻もしくは複数の妻に対する夫の権力は、わたしが国家の本質、国家機構の本質とみる権力関係とはかかわりがありません。子どもに対する父親の権力は、みずからに服従する人間に行使される首長の権力とは関係がありません。それはまったく別のものなのです。このような異なる領域を混同してはなりません。

AM　アンリ・ルフェーヴルやシチュ〔シチュアシオニスト〕において、総じて決定的とみなされる空間の分割があります。つまり都会〔ville〕と田舎〔campagne〕の分割です。『グアヤキ年代記』そしてとりわけ『国家に抗する社会』における「弓と篭《かご》」の章では、もうひとつ別の分割をあなたは指摘されています。男性の空間と女性の空間の分割です。この分割はなにを意味しているのでしょうか？

PC　そのような事例では、この分割が存在することは通常のことなのです。ここで問題になっているのが、遊動的狩猟者であることを忘れてはなりません。とても明確に分化した二つの空間が存在することはありふれたことなのです。というのも、狩猟は男性の仕事であり、森がその現場です。ともかくも、そこは森林地帯です。世界全体が森のなかにあります。ですが、ひとが停泊し、寝たり食べたりするような万人の（男性、女性、子ども、老人をふくむ）空間である宿営地と、狩猟者としての男性が活動する場であるがゆえに男性というしるし《シーニュ》を帯びる森のあいだには区別があります。それはさておき、グアヤキの人口構成——男性よりも女性が多い——のゆえに、宿営地は男性よりは女性のしるしを帯びるというのが実情です。とりわけ男性がいっしょに狩猟に出かけているあいだ、女性は子どもたちとともに宿営地にとどまるわけですし。だからこの対立を誇張してはなりませんが、ともかくも二つの空間を区別することができるのです。森は狩猟のための空間であり、獣と狩猟者としての男性の空間です。宿営地は、かなりが女性の空間です。そこには子どもがいて、料理がおこなわれ、家族生活などが営まれます。しかしながら、特定の人間たちが特定の人間たちに行使するなにがしかの権力関係とみなしうるものを、ここにみいだすことはできません。

AM　都市と田舎に分割された空間は、ヒエラルキー的で権威主義的空間というのが実態ですよね。ここでの［森と宿営地の］二つの空間のあいだに、同様のヒエラルキー的関係は存在しないのでしょうか？

PC　そうです、いっさい存在しません！　もし別の事例をとりあげたとしても——これは遊動的狩猟者という特殊事例ですから（つまるところ遊動的狩猟者の社会はきわめてまれなのです、というかきわめてまれだったのです）——、あるいは、もし定住農民からなる未開社会をふくむ、もっともよくみられる事例をとりあげたとしても（これは実質的にすべての南アメリカのインディオにあてはまります。ここではアンデスの人々についてではなく森に居住する人々について述べています。羽根を身にまとった完全に裸のインディオ、つまりアマゾニアです……かれらのほとんどすべてが、たとえ狩猟や漁業、採集をおこなっていたとしても定住農民なのです）、都市［la ville］の最初の似姿《イマージュ》である村落［le village］と、田舎［la campagne］とのあいだに区別は存在しません。それとこれとはまったく別の話なのです。

都市と田舎の区別があらわれるのは、都市が存在するときです。そこには、集落民《ヴィレジョワ》［des villageois］ではなく——というのも村落民は村落に対応しているからです——、首長とともに町▼18［城塞　le bourg］に住まう人間である都市住民《ブルジョワ》［des bourgeois］がみられます。まさに都市こそ、首長が最初に住まうのです。都市、そして都市と田舎の区別は、国家の登場にともなって、そして国家の登場以後に、あらわれます。というのも、国家ないし専制者の形象は、みずからの森、寺院、店舗をともなう中核のうちに、ただちにみずからの位置を固定するからです……だから中核とそれ以外の区別が必ずや存在するのです。そしてこの中核が都市になり、それ以外が田舎になる。しかしこの区別は未開社会にはまったくあてはまりません。かなりの規模の共同体の存在がみられるにしてもです。規模は問題ではありません。三〇人のグアヤキの狩人からなるバンドにしても、一〇〇人からなるグアラニ[19]の村落にしても、そこには都市と田舎の区別はいっさい存在しません。この区別が生まれるのは、国家が存在するとき、首長とその居住地、その中核［首都］、その倉庫、その兵舎、その寺院などなどが存在するときです。都市を形成するのは国家です。都市［les villes］や都会［les cités］が国家とおなじぐらい古い理由は、これなのです。国家のあるところ、都市もある。権力関係のあるところ、都市と田舎の区別もある。命令を

18──町（le bourg）。大きな村、小さな町、市場町などを一般的には意味している。語源は後期ラテン語のburgus、すなわち城塞に由来している。歴史的には、したがって、城塞や城塞をともなった自治都市、あるいは城塞の外側に形成された集落など、城塞という空間とそのシンボリックな意味をニュアンスとしてもっている。

19──グアラニ。クラストルは、一九六五年には、パラグアイのグアラニを訪問し、一九七四年にはブラジルのサンパウロ州のグアラニを訪ねている（これはクラストル最後のフィールドワークとなった）。「グアラニ族とは、いったい何者であるのか？　十六世紀の初頭には、その諸部族は数十万の人びとを擁していたが、もはや今日では、その大民族の没落だけしか残されていない。たぶん五～六〇〇〇人のインディオがいるだけである。彼らは小さな集団にばらばらになり、白人の世界から離れたところで生存しようと試みている」。*Le Grand Parler. Mythes et chants sacrés des Indiens guarani*, Edition du Seuil, 1974, p.7.（『大いなる言葉──グアラニ族インディオの神話と聖歌』、毬藻充訳、松籟社、一九九七年、九頁）。

くだす人間をかこむ都市に住むすべての人間が、食べねばならないし、生きていかねばなりません。そうすると、かれらのために働く者が、都市の外にあって、田舎に住まう者になります。このような事態は避けがたいのです。さらにいえば、だからこそ、農民という形象そのものが、国家機構［国家機械］のなかでしかあらわれえないともいえるのです。農民は、都市に住まい命令をくだす者の利得のために、田舎に住まい、働くのですから。つまり、かれは貢納［le tribut］を支払うのです。強制労働というかたちであれ、農地からの生産物というかたちであれ、人格的な奉仕という形態をとる貢納です。しかし、貢納とはなんのためにあるのでしょうか？　なによりもまず、それは権力の刻印です。それは権力のしるし《シーニュ》なのです！　それ以外に、権力の事実を示してみせる手段はありません。権力の媒体たりうるのは貢納のみです。「われは首長なり、しかるにわれに権力あり」と、わたしがいうとしましょう。どのようにして、わたしはそれを示せばよいのでしょうか？　あなたになにかを要求することによってです。そして、このなにかが貢納と呼ばれるのです。貢納は権力のしるし《シーニュ》です。同時にそれは、権力を維持する手段であり、首長を取り巻くすべての人々をふくむ権力の領域の継続性を保障する手段です。首長や専制者が存在するや、ただちに官僚制が拡大をはじめます。ただちに、警護人や兵士のような権力を保障する人間たちが、かれを取り巻きはじめます。それから、この人々は、まったくすみやかに、貢納を取り立て、数え上げ、記録する役割を担う専門的行政官に、つまり、統計学者や僧侶に転換します。兵士、行政官、書記、僧侶からなる一群が、首長という形象とともに、そしてそのまわりに、ただちにあらわれるのです。権力関係の適用の領域をいくぶんか広くとればよいのです。そうすれば、首長の形象の周囲には、僧侶、軍人、書記官、行政官、検査官などなど、そして宮廷生活、貴族制のすべてがあらわれるのがわかるでしょう。これらの人々がすべて、労働をおこなうわけではありません。といっても、それは怠惰ゆえでもないし、ヘーゲルの主人のように生活の享受への欲求ゆえに、というわけでもなく、かれらには、ほかにやるべきことがあるからです。というか、かれらは［労働の］ほかにやるべきことがあるから僧侶であり、将軍であり、官吏などなどなのです。かれらはそれらでありながら、同時に、田畑を耕したり家畜を育てたりすることはできません。それゆえ、それ以外の者が、かれらのために労働しなければならないのです。

AM　未開社会には邪術師［sorciers］が存在します。シャーマンです。その地位をどのように説明しますか？

PC　このことは、いくぶんかわたしたちが先に話題にしたもの、すなわち権力という語のあいまいさに帰着します。

AM　そうですね、おもうに、わたしたちの問いの多くがこのタイプのあいまいさをめぐるものです。すなわち、社会的まとまりを保証する強制であり、その一方で、政治権力です。あなたはそれらをはっきりと区別されたようにおもいます。ですがわたしたちにとってはそれほど明快ではありません。この点はおそらく、わたしたちのもつ問いのなかでも、もっとも「衝撃的」なものです。

PC　まず、あなたは強制とおっしゃいました。でも、未開社会には強制は存在しないのですよ。

AM　たとえば、互酬、贈与と返報、受領と返報などの義務は、いかがでしょう。

PC　交換と互酬ですって！　たとえば、交換の義務、つまり、母系制の規則にしたがった女性の交換、それとおなじく財やサーヴィスの交換の義務、そしてなによりも近親相姦《インセスト》の禁止を否定することは、ばかげているでしょう。とはいえ、日常的にみられる財の交換は、基本的に食糧の交換です。実のところ、それ以外のものが流通するところをみかけることはたいしてありません。だれがだれと交換しているのでしょう？　財の流通のネットワークにふくまれる人間とはだれなのでしょう？　基本的に親族たちです。ここでいう親族は血縁を超えており、同盟者、義兄弟などなどもふくまれます。それは義務です。ですがその義務とは、わたしたちがいとこにちょっとした贈り物をするとか、祖母に花を贈るといった義務にとても近いのです。さらにいうと、それは、いまならば社会保険［assurance social］といえるようなものをかたちづくるネットワークなのです。未開社会の人間が頼りにできるのはだれでしょうか？　親族です。必要のあるときには、親族や同盟者の援助をあてにできることを示す方法。それは、食糧を与えることです。小さな贈り物がたえず循環しているのです。複雑な話ではありません。女性が料理をおこなうとき、肉やらなにやらが準備されるとき、女性自身、あるいは女性に指示された子どもが、象徴的な意味しかないわずかの食料の一切れ――それは［栄養摂取という意味での］食事のための一切れであるわけではないのです――を、これはだれかれ、これはだれかれ、と分け与える光景をすぐに目にすることでしょう。［分け与えられるのは］ほとんどつねに、親族か同盟者です。なぜそんなことをするのでしょうか？　かれらもまた、必要なときや困ったときに、あてにできることがわかっているからです。要するに、それは保険であり、社会保障［sécurité social］なのです。国家によるのではなく、親族による社会保障です。とはいえ、未開人は、なにも期待できない人間に贈りものをすることはないでしょう。そんなことは頭に浮かびもしません！交換の領域が、親族や同盟者のネットワークに限定されているのは――完全にというのではなく、主要にということですが――、このためです。もちろん、異なった機能をもつ、それ以外の種類の交換も存在しえます。それらはより儀礼化されており、たとえば、ある共同体が他の共同体と関係をもつ、そのときに関係してくるのです。いわば「国際関係」です。ここまで論じてきた親族間の、そして同盟者間の交換は、共同体内部でのものです。

先ほど、シャーマンについてふれられましたね。おそらく、もっとも権力を有している人間は、シャーマンでしょう(うたがいありません)。ですが、その権力とはどのようなものでしょう? 政治的性格をもった権力ではありません。シャーマンが社会のうちに刻み込まれる場は、そこから「われは首長なり、しかるになんじ服従すべし」と発することのできるような場ではぜんぜんないからです。そんなこと、ありえないのです。なるほど、さまざまな集団には、多かれ少なかれ、その名を知られたシャーマンがいます。その名声の大きさも、実際のシャーマンの能力次第ですが。見知らぬ集団にまでその名声が遠く届いているような、格別の声望をえたシャーマンたちもいます。医師[medicine]としてのシャーマン、つまり病いの支配者としてのシャーマンは、生と死の支配者でもあります。つまり、だれかを治療し、その患者の肉体から病いを取り除きます。そうすれば、かれは生の支配者なのです。このように、かれは診断と治療をほどこします。ですが同時に、かれは必然的に死の支配者でもあります。つまり、かれは病いを扱いますよね。そしてかれが病いをもぎとることができたとします……あるいはむしろ、病いからその人間をもぎとることができたとします。とするならば、反対に、かれはだれかに病いを投げつけることもできるのです。シャーマンの仕事が楽ではないのは、だからなのです。というのも、社会のなかでなにか異常なことが起きたら(シャーマンの治療が幾度も失敗したり、なにか別の異常なことが起きたりしたら)、その社会は率先してシャーマンをスケープゴートに選ぶことでしょう。社会のなかでの出来事、すなわち、社会で起きた異常な出来事、人々を恐怖させたり憂慮させたりする出来事は、それがなんであれ、シャーマンに責任があるとみなされます。生の支配者であるがゆえに死の支配者でもある。ゆえにかれが責任を負わされるのです。「その責任はシャーマンにある」と、こういわれます。呪いを授けたのはシャーマンである。子どもたちに病いを与えたのはシャーマンである、などなど。そして、どうなるのでしょうか？　そうですね、たいていの場合、シャーマンは殺されてしまいます！　殺害されてしまうのですよ。

シャーマンの仕事は決して楽ではないというのは、このような理由からです。ですが、いずれにしても、シャーマンがたとえ部族から威信や敬意を与えられるとしても、それによって国家を創設する可能性が与えられるなどということはいっさいありません。「われこそ命じるものなり」と言明する可能性など、まったく与えられないのです。シャーマンもそんなこと、いささかも考えないでしょう。

AM　シャーマンの威信、それは疑義にさらされないのでしょうか？［たしかに］かれは、いわば聖なる形象といわれるようなものでは、必ずしもありません。あなたがシャーマンについてふれられた二つの「小話」では、かれらはからかわれていますよね[20]……。

20――『国家に抗する社会』所収の「インディアンの笑いを誘うもの」が念頭におかれているとおもわれる。

PC　というか、シャーマンの位置しているのは聖なる領域ではまったくないのです。インディアンとシャーマンとの関係は、かつてのアンデスのインディアンとインカ人との関係、あるいはキリスト教徒と法王との関係ともまったく異なっています。単純にいうと、インディアンは、病気になったときシャーマンを頼りにできることを知っているということです。それと同時に、諸［権］力［des pouvoirs］をそなえているがゆえに、シャーマンには警戒おこたりなくしなければならないことも知っているのです。シャーマンは、〈権力［le Pouvoir］〉を保持してはいません。ですが、諸［権］力は保持している。これはおなじことではまったくありません。かれはみずからの補助霊たち［esprits assistants］の力を借りています（なぜどのようにしてシャーマンは補助霊たちの力を借りるのでしょうか？　かれは学んだからです。シャーマンになるには長い時間がかかる、と。それには、長いながい、いわば学習の時間が必要なのです）、そのため、シャーマンは諸［権］力を保持しています。ですが、そのことによって〈権力〉が授けられるわけではないのです。というか、それを欲しがることもないのです！　でも、もし〈権力〉を欲しがるとしたら、どうなるでしょうか？　お笑いぐさになるのです！　わたしの考えでは、シャーマンの威信のうちに権力の起源を求めてはなりません。権力の起源がそこにないことは、たしかなのです。

AM　シャーマンは「霊感をうる［inspiré］」わけですよね……すると、シャーマンと予言者のあいだにむすびつきはあるのでしょうか？

PC　まったくありません。シャーマンをあるがままに捉えねばなりません。すなわち、かれは医師なのです。かれらは人々をケアし、同時に、敵を殺害します。シャーマンはみずからの共同体の人間をケアし、求められれば同盟する共同体の人間をケアします。そして敵を殺害します。この意味で、かれは共同体の純粋な道具なのです。どのようにしてかれは殺害するのでしょう？　シャーマンの流儀で殺害するのです。じぶんの補助霊の軍団を呼びだしては、それを送り込んで敵を殺害するのです。その結果、次のような事態が起こります。たとえば、とある共同体Xで、子ども——あるいは別の人間——が死んだとします。その共同体のシャーマンが治療しようとする。でもうまくいきませんでした。かれはなんというでしょうか？「この人間を殺害したのは、これこれの集団のシャーマンである」。こうして復讐をはたすべく、襲撃を組織するなどなど、となる。こういうわけです。

シャーマンとは、まさにそれに尽きるのです。シャーマンは共同体の内部では医師として機能し、かつ、みずからの共同体の戦争機械としても機能して敵と戦います。予言者は医者ではありません。かれは治療を施すことはありません。実際に、南アメリカの例をとれば、トゥピ・グアラニのなかに予言者は存在しています。ですが、年代記作家たちはこぞって、邪術者であり医師であるシャーマンと予言者をはっきりと区別しています。予言者は語ります。共同体から共同体、村落から村落を渡り歩き、演説をおこないます。かれらは特別な名をもっています。「カライ［carai］」というものです。一方、シャーマンは「パジェ［pajé］」と呼ばれます。この区別は、まったくあきらかです。わたしがおもうに、もう一歩ふみ込んで、シャーマンがのちに予言者になるというのではないということもできるとおもいます。シャーマンと予言者は完全に異なる形象なのです。▼[21]

AM　ジェロニモの『自伝』への註で、かれは戦争シャーマンと定義されています。これはなにを意味しているとお考えでしょうか？

PC　わたしにはわかりません。そのことが、重大だともおもえません。ジェロニモは戦争指導者［chef de guerre］でした。かれが、きわだった歌声で知られ、シャーマンの資質にも事《こと》欠かなかったことはありえます。しかし、基本的にかれは、戦争指導者だったのです。▼[22]

AM　戦争の問題を考えてみましょう。つまるところ、未開社会において戦争はどのような位置を占めているのでしょう？　この問いによって、わたしたちが対象とすべきは、孤立した社会なのか、それとも諸社会の集合体なのか、あるいは集団間の諸関係なのか、という問いにも立ち返ることになります。戦争とは、例外的な出来事なのでしょう

21—— このインタビューではあっさりとふれられるのみだが、このトゥピ・グアラニにおける予言者カライの形象と、その「美しい言葉」そして「悪なき大地」の追求をめぐるテーマはクラストル(ピエールのみならずそのパートナーであるエレーヌ・クラストルの)において重大なものだった。解題でも述べるが〔→136・226・230頁〕、とくに『国家に抗する社会』の第八章「密林の予言者」、第九章「多なき一をめぐって」、そして『大いなる語り——グアラニ族インディアンの神話と聖歌』を参照せよ。

22—— ジェロニモについてのクラストルの記述は『国家に抗する社会』の最終章「国家に抗する社会」にみられる。「かれ〔ジェロニモ〕の回想録は、かなりおざなりなやり方で採録されているが、それでも読めば様々なことを教えてくれる。メキシコ軍の兵士が、部族の宿営地を奇襲し女、子どもを虐殺するまでは、ジェロニモも他の者とさして変らぬ若い戦士にすぎなかった。この虐殺で、ジェロニモの家族はみな殺しにされた。アパッチの諸部族は連盟し、虐殺への復讐を決め、その戦いの指揮をジェロニモに託した。戦いはメキシコの守備隊の殲滅《せんめつ》、アパッチにとっての全面的勝利に終った。勝利の立役者ジェロニモの威信は極めて大きなものだった。そして、この瞬間から事態は変化し、ジェロニモの内部でなにかが生じ、そしてなにかがすり抜けてゆく。というのも、アパッチ族にとっては復讐の欲望は、勝利によって完全に充足され、いわば一件は処理済となったのに対し、ジェロニモはこの意見に耳を貸さない。かれはメキシコ兵に加えた血まみれの敗北もまだ充分ではなく、さらなる復讐を欲する。とはいえ、いうまでもなくかれ一人でメキシコの村へ攻撃をしかけることはできない。かれは仲間を新たな遠征に誘おうとするが、うまくゆかない。アパッチ社会は、集団としての目標——復讐——が達成されたいま、平和を望んでいるのだ。かつては、その戦士としての能力によって部族の道具となっていたかれが、部族を彼の道具に化そうとする。ちょうどヤノマミ族がフシウエに従うのを拒んだように、アパッチ族がジェロニモに従おうとしなかったことはいうまでもない。アパッチ族の首長ジェロニモにできたことはせいぜい(時には嘘までついて)栄光と戦利品に目がくらんだ若者を何人かひきこむことぐらいだった。こうしておこなわれた遠征のひとつでは、英雄的にして同時にとるにたらぬジェロニモの部隊は、わずか二名の戦士からなっていたことさえあった。状況に促されて、すぐれた戦闘能力を認めジェロニモのリーダーシップを受け入れたアパッチ族も、かれが個人的か、それは共同体の日常生活の一部なのでしょうか？　戦時における首長の役割について、この意味するところはなんでしょうか？　それは例外的な出来事なのか、それともあらゆる社会生活の地平なのでしょうか？

PC　戦争が未開社会の核心そのもののうちに書き込まれていることは、まちがいありません。つまり、未開社会は戦争なしには機能できないのです。それゆえ、戦争は永続的なのです。だからといって、未開人たちが連日、朝から晩までいがみあっているというわけではありません。戦争が永続的であるということは、どのような共同体にあってもつねにどこかには敵がいる、じぶんたちを攻撃する可能性のある人間たちがいるということなのです。この攻撃が実際に起きるのは、たまのことでしかありません。しかし、共同体間の敵対的関係はずっとつづいているのです。戦争が永続的であり、戦争状態が永続的であるというのは、そのような意味です。なぜでしょうか？　ここでわたしたちは、はじめのほうで、社会の規模について述べたことに立ち返ります。わたしは、社会が未開でありうるためのある条件についてふれました。不可欠である諸条件のうちのひとつは、社会ないし共同体の規模です。社会が大規模でありかつ未開であるということはありえません。少なくとも、わたしはそう考えています。社会が未開であるためには、小規模でなければなりません。社会が小規模であるためには、大規模になることを拒絶しなければなりません。大規模であることの拒絶には、ある技術のようなものが存在するのです。未開社会であまねく用いられている――少なくともアメリカの諸社会では用いられている――技術があるのです。すなわち、分裂すること、切断すること〔la fisson, scission〕です。それがまったく友好的におこなわれることもありえます。たとえば、人口規模の増大が特定の適正な閾値《しきいち》を超えたと、ある社会が判断や評価をしたとします。そのようなとき、いつも、これこれの数の人間はここを去るよう、提案がおこなわれます。概してこの分離は、親族の分割線に沿っています。たとえば、別の共同体を創設すべく決意する一群の兄弟がいるかもしれません。このあらたな共同体は、かれらが出てきた共同体と、もちろん同盟をむすぶことになるでしょう。かれらは、ただたんに同盟者であるだけでなく、親族でもあるのですから。とはいえ、かれらはあたらしい共同体を創設したわけで、この分裂の過程はつづいているのです。

しかし、少なくともここで等しく重要なのが、戦争という事実です。というのも、未開の戦争、未開社会の戦争、わたしが述べてきたような、ときに現実のものとなる永続的な戦争状態、

な戦争を欲しはじめたときには、一貫してかれに背を向けた。北アメリカにおける最後の偉大なる戦争の首長ジェロニモは、生涯のうちの三〇年間を、「首長らしくふるまう」ことに望みをかけ、しかもそれを実現できなかったのだ」。

Pierre Clastres, *La société contre l'Etat. Recherches d'anthropologie politique*, Minuit, 1967, pp.179-80.（『国家に抗する社会』、渡辺公三訳、水声社、一九八九年、二六二－二六三頁）。

それはまさに、諸社会に根ざしているからです。すべての、あるいはほとんどすべての未開社会は、好戦的です。とはいえ、その強度に高い低いはあります。きわめて好戦的な人々もいれば、そうでもない人々もいる。しかし現実に、かれらすべてにとって、戦争は地平の一部をなしているのです。戦争の効果とはなんでしょうか？　戦争の効果とは、共同体のあいだの分離をたえず維持することにあります。結局、敵ともちうる唯一の関係は、敵意ある関係、つまり分離の関係です。この分離と敵意は、現実の戦争において頂点に達します。ですが、戦争、あるいは戦争状態の効果は、諸共同体の分離、つまり分割を維持することです。戦争の主要な効果とは、たえず多元性をつくりだすことであり、それによって、多元性に逆らうものの存在の芽をつむことです。共同体のあいだの諸関係が分離、冷淡、敵意の状態にあるかぎりで、各共同体がそれによって自己充足の状態――それを自主管理ということができるかもしれませんが――にあるかぎりで、国家は存在しえません。未開社会における戦争は、なによりもまず、〈一なるもの〉を阻止する方法なのです。〈一なるもの〉とはなによりも統合、つまり国家です。

AM　ここで、この切断に立ち戻れないでしょうか？　かれらの社会は小規模な社会である、そして規模の拡大がはじまるとともにそれらの社会はみずからを切断する、とあなたはおっしゃいました。そうだとして、トゥピ・グアラニ族の社会がきわめて大規模な次元にまで到達したという事実を、どのようにお考えでしょうか？　なぜこの切断の機構が、もはやうまく作動しなかったのでしょうか？

PC　数字以外の点について、確たる答えをわたしがもっているわけではありません。南アメリカにおけるトゥピ・グアラニの特殊性、それは、わたしがトゥピ・グアラニ社会と呼ぶものを形成している諸部族と諸共同体の規模の大きさです。その大きさは大変なものだったので、人口爆発のようなものを想像しなければならないほどです。とはいえ、相対的にということですが。そこは中国でもインドでもないのですから。ともかく、この人口爆発によって、トゥピ・グアラニはある種の地域的拡張に導かれました。かれらは広大な地域を占拠したのです。生活空間が必要だったからというのが、いちばんありそうですね。かれらは数がとても多く、かつ、とても好戦的でありました。だから、積極的に外に出て、すでにそこにいた人々を追い払い、その土地を占拠したのです。追い払うか、殺してしまうか、あるいはみずからの集団に編入するか……わかりません。しかし、いずれにしても、追い払ったあと、かれらは、その他者に取って代わったのです。なぜこのようなことが起きたのでしょうか？　要するに、なぜかれらはこのような信じがたい規模の拡大を経験したのでしょうか？

わかりません。それに、これは民族学次元にとどまる問題ではありません。遺伝学者、生態学者など、あらゆる種類の人々にとって、難問なのです。わたしは本当に、どのようにお答えできるのか、わからないのです。いずれにしても、わたしのいえること（研究者たちが未開社会の人口についての探究をすすめればすすめるほど、ますますあきらかになりつつあること）は、『アンチ・オイディプス』の言葉を用いるならば、未開の社会はいわば「コード化する社会」であるということです。未開社会とは、あらゆる種類の流通する多様な流れ、あるいは別の隠喩を用いるならば、独自の諸器官を有した機械のことであるといえるでしょう。未開社会は、これらの流れのすべて、器官のすべてをコード化する──つまり、統御《コントロール》し、掌握して離さない──のです。つまり、権力の流れ［le flux du pouvoir］と呼びうるものを掌握して離さないということです。それは権力の流れをがっちりと掌握し、みずからのうちに抱え込み、手放すことはありません。もし手放してしまえば、首長と権力のあいだの結合があらわれてしまいます。となると、国家の最小の形象、つまり社会の最初の分割（命令する者と服従する者のあいだの分割）があらわれることになる。未開社会はそのような分割の登場を許しません。未開社会は、首長制［la chefferie］という器官を統御しているのです。しかし、未開社会がときに統御に困難をきたす流れがひとつあるようにおもわれます。それは人口の流れです。未開社会はみずからの規模の統御の方法を知っていると、しばしば指摘されます。それは真実であることもあれば、そうでないこともあるのです。トゥピ・グアラニが最初に発見されたとき──十六世紀のはじめのことです──、かれらがそのことに悩んでいなかったことはあきらかです。というのも、かれらは領土的拡張の渦中にあったからです。問題ではなかったのです。しかし、たとえば、領土拡張への欲望あるいは必要が、めざす土地を決然と死守せんとする敵にぶつかるようなとき、問題が浮上します。

そのとき、なにが起きたのでしょう？　人口が増大しているけれども領土が閉ざされているようなとき、いくつかの問題があらわれます。ここに未開社会の統御をおそらく超えるなにかがあらわれる。すなわち人口動態です。かれらは人口動態を統御する技術を、たくさんもっていました。たえず中絶がおこなわれていたし、嬰児殺しもきわめて頻繁におこなわれていた。それにおびただしい数の性的タブーがありました。たとえば、子どもが乳離れをしていないとき（子どもは二、三歳で乳離れをします）、女性たちとその夫とのあいだの性的行為はほとんど普遍的に禁止されます。［それでも］女性が赤ん坊をもってしまったとき（先に述べたように、禁止やタブーというものは、尊重されることが前提ですが、同時に、破られることにも配慮されているのです）、あるいは、まだ前の赤ん坊が乳離れをする前に妊娠してしまったとき、中絶するか、誕生時に殺されるという可能性は高まります。それにもかかわらず、未開人の経済やエコロジーの許容水準を超えて、人口が大いなる増大をみせてしまうことがありうるのです。

AM　わたしたちの一連の問いの総体が、言語の問題をめぐるものでした。つまり、いっぽうで、言語は強制的権力の源泉として提示されていますが（予言者の言葉ですね）、そのいっぽうで、言語は暴力に対立しています。

PC　ここでもまたコード化についてふれなければなりません。周知のように、アメリカでは（アメリカにかぎらず、おそらく普遍的でもあるようにおもいますが）、部族の頭目たるリーダー、未開社会における首長は、この役割に見合うさまざまの特性を有していなければなりません。なかでも、雄弁であること、巧みな弁舌家であることが必要です。これには例外がありません。未開人は美しい言葉を好むからということもできるでしょう。巧みな弁舌家の語るのを聴くのは、かれらの愉《たの》しみなのだ、と。たしかにそうです。かれらはそれをとても好んでいます。しかし、わたしたちはそこにとどまってはいけないとおもうのです。巧みな弁舌家でなければ首長としては認められないということを定める義務。その義務のうちには、共同体がだれかをそのリーダーとして認めるさいに、そのだれかを言語《ランガージュ》のうちに罠にかけるような、なにごとかが存在します。つまり共同体は、かれが語る言説《ディスクール》、かれの口にする言葉《モ》によって罠にかける。たんに美しい語り《ディスクール》に耳を傾ける愉しみにとどまるのではないのです。しかしより深いレベル、もちろん意識にはのぼらないそのレベルにあって、それは未開社会の機能そのもののうちにはらまれた政治哲学と関係しているにちがいありません。リーダーないし首長は、権力の場を占める可能性も、指揮者になる可能性も、命令を押しつける者になる可能性も有しています。ところが、かれが、そのような者になることはできない。というのも、かれは言語《ランガージュ》のうちに罠にかけられているからなのです。ここで罠にかけられているということの意味は、かれの義務が語る義務であるということです。

かれが言語《ランガージュ》、というかこの［特殊な］言語（というのも命令を与えることも語ることだからです……）のうちにいるかぎりで、かれは巧みな弁舌家である義務から解放されることはありえません。もしかれの頭に、命令であるような別の種類の言語に切り替える（かれが命令を与え、命令にひとは服従します）ことがよぎったとしても、そんなことはできないでしょう。よき弁舌家たれというこの義務を、わたしがどう理解しているかというと、未開社会が首長であること［首長制］と権力のあいだの分裂を維持するために活用する多くの方法のうちのひとつであることは、うたがいないと考えています。首長が語り《ディスクール》のうちにあるかぎりで、空疎な語りとしての「教訓的語り［discours édifiant］」とわたしが呼ぶところのもののうちにあるかぎりで、かれは権力を保持してはいないのです。

AM　首長が語るのは、部族の歴史＝物語であり、部族の来歴なのですよね……。

PC　そうです、そしてそれは根本的に保守的な語りです。とはいえ、いったいなにを保守しているのでしょう？　社会そのものです。つまり、それは変化に抗する語りなのであり、なかでも未開社会で起こりうるすべての変化のなかで最大の変化——社会に対して「われは首長なり、しかるになんじら服従すべし」という人間があらわれることを可能にする変化——に抗する語りなのです。だから、首長が巧みな弁舌家であるそのことが、そのような命令を発することをかれに不可能にしているのです。首長はいまや言語の空間に閉じ込められています。言語の囚《とら》われ人なのです。かれがこの言語の空間にいるかぎりで、チョークで描かれた円陣のなかに置かれているのであり、そこから脱出することはできません。かれは語る人間であり、それがすべてなのです。

AM　しかも、だれもかれの語りに耳を傾ける必要さえないようにみえるのですよね?

PC　そうなのです。義務はないのです。もし耳を傾ける義務があるとするなら、そこには法があるはずです。そうなると、すでにもうひとつの側［国家のある社会の側］へと転換していることになります。未開社会には義務はありません。少なくとも、社会と首長のあいだに義務はありません。義務を有する唯一の人物は、首長です。いいかえれば、その関係は、国家のある社会にみられる事態の真逆なのであり、完全なる反転なのです。

AM　服従しなければならないのは首長のほうなのですね?

PC　われらが国々では、その反対ですよね。命令をくだす人間に対して義務を有しているのは社会のほうであり、首長［リーダー］は義務をもっていません。なぜ命令をくだす首長ないし専制者は義務を有していないのでしょう？　かれが権力を保持しているからです。あたりまえですよね！　そして権力とは、「われにいかなる義務もなし。義務のあるはすべてなんじらなり」とのたまうものなのです。未開社会では、その正反対です。義務を負うのはただ首長のみなのです。つまり、巧みな弁舌家である義務です。才能を授かっているだけではいけません。その語りによって人々を満足させ、それによってその義務の履行をたえず証明しなければならないのです。そして気前よくあるという義務です。

たとえば生産の諸単位が経済的に自給自足であるような社会で、気前よくある義務とはなにを意味しているのでしょう？　生産単位は家族という基礎組織（一人の男性、一人の女性、そしてかれらの子どもたち）です。それらは自給自足的です。ということは、どの単位も、交換される財の小さな流れをのぞいて、生存維持のために他者を必要としてない（あるいはほとんど必要としていない）ということを意味しています。第二に、その生産はその必要を超えていないということです。ところが、首長にとって事情はまったく異なっています。というのもかれは気前よくある義務があるからです。ということは、かれはみずからの必要を超えて生産をおこなう義務がある（かれが気前よさという責務を引き受けようとするかぎりですが）。かれはリーダーとしての義務をもふくんだ分を生産する義務があるのです。これは、かれがつねに、必要なさいには、あるいは求めに応じて、いつでも流通させることのできるさまざまなモノを少しずつストックしておかねばならないことを意味しています。それゆえ首長であるということは、（端的にいうならば）なにもいわないために語り、かつ他の人々より以上に働くことを意味しています。未開社会では首長は社会に対して唯一義務を負った人間であるというとき、それは字義通りに受け取ってほしいのです。それは本当なのですから。

AM　なぜ首長になる者がいるのでしょう？　だれが首長になるのでしょう、そしてその理由はなんでしょう？

PC　どのようにしてだれかが首長になるのでしょう？　なによりまず、首長が存在しなければなりません。ですが注意してください！　わたしはこういっているのではないのです。「国家の存在は必要である、もし首長がいなければ、われわれはやられてしまうのだから。だから命令をくだす人物が存在しなければならない」と。そうではないのです。まさに首長は命令をくだす者ではないのですからね。でも、かつて未開社会の機構は、そうですね、適切な言い方はわかりませんが、いわばスポークスマン［un porte-parole］をもつことで、うまく機能したのです。首長とは、なによりも、字義通りの意味で、スポークスマンなのです。部族間ないし共同体間の関係にあっては、あきらかに、みんながいちどにしゃべることはできません。なんにも聞こえなくなりますしね。さて、部族間関係はとても重要なものです。まさに永続的な戦争状態にあるのですから。敵があるとき、同盟も必要です。同盟のネットワークが必要なのです。そして、共同体を代表する交渉人でありスポークスマンであるのは、リーダーです。まさに、かれが語りに長けているからです。しかし、おもうに、もう一歩ふみこんで、社会はリーダーなしには不完全であるということもできるでしょう。いってることが完全に矛盾しているようにおもわれるかもしれませんね。しかし、いわんとすることを民族誌的事実にもとづいて説明してみます。リーダーなき社会、語る者なき社会は不完全です。なぜ不完全かというと、可能性としての権力をあらわす形象（つまり、社会が妨げようとしているものの形象）、権力の場が、消えているからです。この場は、はっきりと規定されていなければならないのです。「ほら、かれが首長だ、そして、首長であることをわれわれが妨げている人間が、ほかならぬかれなのだ」、このようにいうことのできる人間が必要なのです。かれにモノをねだることができないなら、権力の可能性の場を占めるこの形象が存在しないならば、この権力が現実と化すことを妨げることもできないでしょう。この権力が現実と化すことを妨げるためには、この場を罠に仕立てて、そこにだれかを置かねばならない。そして、このだれかが首長なのです。だれかが首長であるとすれば、かれはこういわれます。「いまからおまえはわれわれのスポークスマンである。あなたは語り、責務として気前よくふるまわねばならないし、他人よりも少しだけ余計に働かねばならない。あなたは共同体に奉仕せねばならない人間なのだ」と。このような場がないならば、すなわち、権力なき社会としての未開社会をはっきりと「目に見えるように」否定する場が存在しなければ、未開社会は不完全であるのです。

三年前、ベネズエラはアマゾナス州のヤノマミ・インディアン[23]を、友人であるジャック・リゾとともに訪ねたときのことです。そこはオリノコ川の源流にあたる地域で、ベネズエラの最南部とブラジルの最北部をまたいでいます。アマゾン川水系の中心部なのです。そこはいまだ、アマゾニア最後の「未踏の」地域のひとつといってもいいかもしれません。そこは、まちがいなく世界で最後の偉大なる未開社会であるヤノマミ族が居住している場所です。人口にしておよそ、一万二〇〇〇人から一万五〇〇〇人――正確な数字をあげるのはむずかしいのですが――ですが、アメリカン・インディアンの近年の人口数と比較するならば、それは巨大な数なのです。わたしたちの滞在したのは五〇人から六〇人からなる小さな共同体でした。共同体内のある紛争――それがどのようなものかはわからないのですが――のあと、もはやそこにリーダーはいませんでした。リーダーがどうなったのかはわかりません。殺されたのかもしれないし、いわば辞職したのかもしれません。あるいはその地を離れたのかもしれません。要するに、そこはリーダーなき共同体、スポークスマンなき共同体だったのです。ということは、公式儀礼を主導する役割をはたす人物がいなかったということになります。というのも、ある程度、首長であるとはその役割をおこなうことだからです……。同盟関係にある集団が訪ねてきました。その集団にはリーダー、つまり語りをおこなう男がいました。この男は、リーダーをもたない集団に向かって、とても麗《うるわ》しい語りをおこなったのですが、そのなかで、かれはこういったのです。「おまえたちはまったくの無価値である。おまえたちはリーダーさえもたぬ。おまえたちは無に等しいのだ」。とはいえ、それは「命令をくだす人間、（現代的な意味での）首長［指導者］が必要なのだ」といっているわけではありません。かれはみずからの立場によってそれをおもい知っていましたし、じぶんが命令をくだす立場にはないことを熟知していました。ですがかれは、この［首長のいない］光景をみてほとんど困惑してしまったのです。それでは共

23―― クラストルは、一九七〇年から七一年にかけて、ベネズエラのヤノマミに、みじかい滞在をしている（解題〔→114頁〕をみよ）。「ヤノマミ Yanomami：ヤノマム、ヤノママ Yanomamo, Yanomama）ほか、いくつもの別称で呼ばれる先住民族。ベネズエラ南部とブラジル北部の国境地帯の熱帯低地に居住し、現在は二〇〇－二五〇ほどの分散的な村に、約二万人が居住していると報告されている。近年まで外部世界と完全に未接触であったが、今日では他の先住民社会の宿命とおなじく、開発や金塊最終者による打撃にさらされつづけている」（ピエール・クラストル、『暴力の考古学』、毬藻充訳、現代企画室、一八頁の註より）。また、ヤノマミについては近年、ドキュメンタリーが製作され（『NHKスペシャル　ヤノマミ　奥アマゾン　原初の森に生きる』、二〇〇九年）、その放映後には大きな反響を呼んだ。劇場で特別公開され、その劇場公開版がDVD化されている。その取材の記録として、国分拓『ヤノマミ』（新潮文庫、二〇一〇年）をみよ。なお、ヤノマミをめぐってはある人類学者（ナポレオン・シャグノン）のとった社会生物学的アプローチとそれによるヤノマミの規定――かれらを死と殺戮に取り憑かれた獰猛なる存在として描写した――をめぐり大きな論争が起きた。そのさい、解題でもとりあげるクラストルの知的盟友ともいえるマーシャル・サーリンズは、二〇一三年、シャグノンのメンバー選出（それと米軍との共謀）に抗議し、米国科学アカデミーを辞している。

同体が完全ではないからです。未開社会には構造的に——といっていいとおもいます——書き込まれた場［un lieu］があります。それが首長の場です。この場を［この共同体においては］占める者がいなかったのです。「もしおまえたちがリーダーをもたなければ、おまえたちは終わりだ」、なぜなら、ひとつの欠如、ひとつの不在があるからであり、ある器官が欠けているからです。

おもうに、この器官は、コード化されるべく存在するのです。もしその器官が存在しなければ、それのあるべき場もわからなくなります。だから、それは可視的でなければならない。もしこの場をだれも占めていなければ、社会は完全ではありません。命令をくだす者という意味での首長が存在しなければなにもうまくいかない、というわけではもちろんありません。その正反対です。可視的な権力の場が空白であるならば、おそらくどこかの変わり者がどこかからかあらわれて、次のようにいうことでしょう。「われは首長なり、われは命令する者なり」と。大変な騒ぎになるかもしれません。というのも、「いいや、おまえではなく、わたしが首長だ」といえる、公式儀礼の首長、スポークスマン、語りをおこなう者が不在であるからです。いまあげた逸話で、訪問したリーダーは次のようにいっていたわけですよね。「おまえたちは無価値である、おまえたちは無価値であろうとしている。なぜなら、おまえたちはどこぞのだれか、どこぞのなにかの意のままになり、翻弄されるままになるだろうからである」と。そのわけも、おわかりでしょう。

AM　あたかも発せられる言葉が潜在的に危険なものとみなされており、それに特定の場をあてがうことで、危険と化すことのないようにしているかのようですね。もしそうだとすると、予言者とは、言葉を、統御されておらず、統御することもできない他所の場所からもってくる人間ということになりませんか？

PC　そう、その通りです。ひとつの定式に要約すれば、権力の場が占められるとき、つまり首長制の空間が充たされるとき、犯しうるまちがいもない。つまり、その社会はなにを警戒すべきかについて、まちがいを犯すことはないということです。というのも、それがその社会の眼前にあるわけですから。目に見えて触れることもできる危険は、祓《はら》い除ける［conjurer］こともやさしいのです。ひとの目にさらされているのですし。ところが、その場が空白であるようなとき（それが長期にわたることはないのですが）、どんなことでも起きうるでしょう。未開社会が反－権力機械として機能するとして、権力の可能性の場をだれかが占めていればなおいっそううまく機能することになります。これがわたしのいわんとすることです。それゆえ、首長がはたす日常的機能［役割］——それはほとんど専門的役割（語りをおこなう、他の集団との関係のなかでスポークスマンとしてふるまう、祭りを組織する、招請をおこなう）——を超えて、社会的機械［機構］の構造そのものの一部を構成しているという意味で、かれにはひとつの構造的機能［役割］があるのです。つまり、この場は存在しなければなりませんし、だれかによって占められなければなりません。それによって、国家に対抗する機械としての社会は、たえずみずからの解体の発生源にもなりうる場を監視のもとにおくのです。この場は首長のある [la chefferie] 場であり、権力の場です。そして、その権力を不在のものにしなければなりません（そして、それに完全に成功するのです）。この場が存在しなければ、社会は不完全である、とわたしがいうのは、まさにこのような意味なのです。

AM　たえまのない語り、そしてまたたえまのない首長の語りへの集団による統御は、おそらく首長の頭が狂っていないかを確認する方法であり、かつ、かれが権力をとりたがっていないかを確認する方法なのですね？

PC　もちろんです。かれが語りをおこなうかぎり、おおよそ毎日、あるいはほとんど毎日なのですが、かれがおなじ語りをおこなうかぎり、万事はうまくいきます。というのも、弁舌家としての首長は、社会が耳にしたいと望んでいることしか語ることがないのですから。首長自身、社会（権力なき社会）の維持のための一器官として機能しているのです。なにしろ、かれらの口から出るのは、たえず伝統的な規範を引き合いにだす語りなのですから。それは「教訓的」な語りなのです。「われわれはいままで、祖先から教えられた決まりごとにしたがいながら、しごく幸福に暮らしてきた。ゆえに、なによりも、なにごとも変えてはならぬのだ」というように。

『ヤノアマ』は、ここで話をしているヤノマミとおなじインディアンにかんする書物です（フランスではわたしの『グアヤキ年代記』とおなじ叢書から公刊されています）。とんでもなくすごい本です。著者はイタリア人のエットーレ・ビオッカ〔Ettore Biocca〕となっていますが、本当の著者は、ちがいます。このエットーレ・ビオッカなる人物はペテン師です。本当の著者は、エレナ・ヴァレロ〔Helena Valero〕というヤノマミに誘拐されたブラジル人の女性です。[24] 一九三九年のことだったとおもいます。彼女は忽然と姿を消して、二一年か二二年ののちに、四人の子どもをつれてふたたび戻ってきます。この信じがたい社会で彼女は二〇年間をすごし、それから逃亡しました。この本は、彼女がそのイタリア人に語ったものです。このイタリア人は、この本の著者を名乗ることを控えるほどの羞恥心も持ち合わせていなかったのですね。ですが、そこには一〇〇時間分もの混じりけなしの彼女の声が記録されています。要するに、そこにはひとつの偉大なるエピソードがあるのです。彼女は二〇年分の人生を語っています。日がな一日、おもしろおかしいわけではありません。未開人についてボーイスカウトばりの見方をしてはなりません。た

24―― 日本語訳では著者名がエラナ・ヴァレロになっている。『ナパニュマ』上下巻、竹下孝哉、金丸美南子訳、早川書房、一九八四年。

とえば、［ロベール・］ジョラン[25]のいうことをまともにとってはいけません。その意図は善良なものでしょう。ですがそれは根本からまちがっているのです。

さて、彼女は最初の夫について多くを語っています。彼女はインディアンとなり、二人の夫をもちました。語りのなかで、彼女は、この二人の夫について語っているのですが、その大部分は最初の夫についてのものです。かれに対して、彼女は愛情といえるようなものを感じていました。彼女によるかれの描写は感動的なものです。この男は何者だったのでしょう？　まさにリーダーでした。かれは彼女を最後の妻にします。かれにはすでに四人の妻がいました。これはよくある状況です。リーダーはつねに多くの妻をもっていました。彼女はかれの最新の妻だった。そしてみたところ、彼女はひいきされていたようです。おそらく彼女が白人世界からやって来たからでしょう。彼女は人一倍の特権を携えていたわけです。なぜこの男がリーダーだったのでしょう？　ほとんどのヤノマミのリーダーは戦士のリーダーであり、襲撃の組織者です。この男性は偉大なリーダーであり、勇気のあるリーダーでした。ですが少しずつおかしくなっていきました。偏執狂的で誇大妄想的になってしまったのですね。それは戦争の力学であり、戦士の運命です。戦士の望むこととはなんでしょうか。しょっちゅう戦争をすることです。おかしなことではありません。戦士なのですから。かれは少しずつ、じぶんが首長をつとめている部族、この社会が望むような戦争をするかわりに、じぶん自身のために戦争をしたくなったのです。じぶん自身にだけ都合のよい個人的な思惑で戦争を望むようになりました。それで部族をこの戦争に引き込もうとしたのです。ですがこの戦争はこの社会の戦争ではありません。それで、いったいどういうことが起こったでしょうか。未開人とそれ以外の者とのちがいのひとつは、かれら未開人が、戦争をしたくないときには戦争をしないということです。いっぽう、わたしたちといえば、国家が戦争をすることを望むときには、ひとが望もうと望むまいと、戦争に行かねばならない！　少なくともこれまでのところ、そうですよね。この首長の場合にはどういうことが起こったのでしょうか。人々はかれを見捨てたのです。すっかり見捨ててしまったので、かれのほうも面子《メンツ》を失うわけにはいかなくなってしまいました（かれは戦士なのですから）。「よしわかった、きみたちがわたしと一緒に来ないなら、わたしも戦争には行かない」とはいえなかったのです。戦士ならばこんなことはとてもいえません。それでかれはどうしたでしょうか？　たったひとりで攻撃に出向き、そして当然ながら殺されてしまったのです！　自殺行為です。でもかれは死刑宣告を受けていたのです。戦争を望んでいない社会に対して、戦争を無理強いしようとしたのですから。ここに、いかにして首長が首長であることを人々が妨げるのかが示されています。そこにはみごとな例があるのです。それはジェロニ

25――　ロベール・ジュラン（Robert Jaulin：一九二八－一九九六）。フランスの民族学者。翻訳に『白い平和――少数民族絶滅に関する序論』（和田信明訳、現代企画室、一九八五年）がある。

モの身にもたえず生じたことです、かれが英雄であったということとは別に。アメリカ合衆国のインディアンたちはいかがでしょうか？

AM　二つのアスペクトがあります。まずジェロニモは心の底からメキシコ人を嫌悪していました……。

PC　ですがかれ以外にもインディアン、アパッチはいるわけですよね……。

AM　ですが、かれは北アメリカ人とよりはメキシコ人との戦争のほうに、より戦意を燃やしていました……。

PC　メキシコ人たちが、かれの最初の家族と母親を殺害したことで、かれが個人的に苦しんだことはありますよね。でもそれ以外の多くのアパッチも同様ではないですか……。

AM　ところが、そのいっぽうで、まさに二、三人の仲間とつれだって、こてんぱんにやられて帰ったとします。かれらはおとなしく戻っては、黙して語りません。とはいえ、勝利をあげたとします（たとえ出撃したのが二、三人だけだったとしても）、すると、お祝いが催《もよお》されます。ヤノマミのリーダーの場合よりも、はるかに限定された「名声」ですね。

PC　そうですね。ですがここでは、アパッチがおそらく、かれを必要とするときがあることをよくわきまえていたという事実を考慮に入れなければなりません。つまるところ、かれはきわめて有能な戦士だった（かれは存分にその能力をみせつけていました）。

AM　そうです。しかしジェロニモ自身の自伝[26]やその甥であるコチース・ジュニア［Cochise Junior］による伝記（この二つは、多くの点でまったくよく一致をみせています）では、アパッチ社会からジェロニモがどのようにみられているかがわかります。かれの家族は一八五八年に殺戮されました。一八五九年には、復讐のため、アパッチ総出の大きな襲撃がおこなわれます。おなじ年、かれは二人の男をひきつれて、ふたたび出撃し、失敗します。だれもが［それについて］沈黙し、口をつぐんだままでした。

PC　二人の仲間は殺害され、かれはひとりで戻るのですよね。実際に、二、三人でおこなわれる遠

26 —— S.M. Barrett, Geronimo's Story of His Life, Duffield & Company, 1906.（『ジェロニモ自伝』、西川秀和編訳、Next-Publishing Authors Press社、二〇一八年）

征は多数あったのです……。

AM　一八六八年までの一〇年間で、一年のうち一回か二回の遠征がありました。ですがたとえば、一八六三年、かれは三人の男と遠征に出ています。そこでかれが勝利をおさめて戻ったとき、盛大なお祝いが催されます。「名声」は「それぐらいに」限られています。それからジェロニモは放っておかれます。ジェロニモは好きなようにふるまいます。かれはいささか変わり者のように扱われているのですね。とはいえ、潜在的な危険とみなされているわけでもない。そうですよね？

PC

ジェロニモ自身、なにをやりたかったのでしょうか？　先ほど述べたアマゾンの首長とまったくおなじように、かれも望むときには人々も一緒に遠征してほしかったでしょう。二、三〇〇人、あるいは四〇〇人ほどのアパッチを率いたかった。ですがかれらは行きたがらなかったのです。

AM　とはいえ、ジェロニモは部族の長ではありませんでした。かれは首長の地位にはいなかったのです。

PC　そうです。かれは制度的な意味での首長ではありませんでした。かれは戦争首長［un chef de guerre］であり、その技術的能力ゆえにそう認められていた。かれは戦争の技術者であり、専門家だったのです。それゆえジェロニモが必要とされるとき、人々はかれに頼るわけです。しかしかれがみずからの目的のために戦争に行きたがり、そのため別の人間たちを必要とするとき、その別の人間たちがいっしょに行くことを望まないならば、かれらは端的について行かない。要はそういうことです［c'est tout］。

AM　かれが直接にではなく、間接的におそれられていた時代がありました。そのあと十年間にわたってのことです（これについて語るのは大部分コチース・ジュニアです）、というのも、かれが襲撃に遠征すると、それに対する反撃や仕返しがやってくるからです。しかし、かれがみずからの戦争をおこなうことを望んだという事実にかんしていえば、それについて非難があって、それゆえだれもついていかなかったとは、わたしにはおもえません。要はそういうことです［c'est tout］。

PC　なるほど。ですがヤノマミの戦士の場合、かれは社会にみずからの戦争を押しつけることを望み、人々はそれに同意しませんでした。かれはかなり大きな集団のリーダーでした（一五〇人から二〇〇人のあいだです）。わたしがそこを訪ねたとき、すでにかなり大きな集団でした。それはよくあるアマゾニアの共同体です。かれらはかれを打ちのめすことも、殺害することもしませんでした。たんにかれに背を向けただけだったのです。

ヤノマミの戦士の場合、かれはじぶんの戦争を社会に押しつけようとしました。そして人々はそれを望まなかった。かれはかなりの人数の集団（一五〇－二〇〇人）のリーダーでした。わたしがそこに行ったとき、すでにかなりの規模でした。そこはアマゾンの古典的な共同体です。かれらはかれを殴ったりしなかったし、殺害もしなかった。ただ背を向けただけです。でも、別の例もありますよ。別の集団の、おなじく戦士のリーダーの話ですが、先の首長よりももっと度を超してしまった例です。この男は、みずからの威光とその暴力性のために（粗暴な男でした）、みずからの暴力をじぶんがリーダーをつとめている集団の人々に向けはじめたのです。それがつづいたのはごくわずかのあいだでした。ある日のこと、人々はこの男を殺してしまったのです。この話はそれほど昔のことではありません（十年ほど前）、比較的あたらしいですよね。人々は村の中央にある広場の真ん中でかれを殺しました。全員で殺したのです。三〇ほどの矢が突き刺さっていた（！）と聞きました。これが、首長風《かぜ》を吹かしたい首長に対して人々がやることです。ある場合には人々は首長に背を向ける。それで十分です。それがうまくいかない場合には、きっぱりと厄介祓いします。こうした例はむしろまれなことにちがいありません。ですがつまるところ、それは、社会とその首長との関係の可能性の場に位置しているものなのです。首長がそのあるべき場所にとどまらない場合にはね。

AM　それがジェロニモとのちがいですね。ジェロニモは押しつけようとはしなかったようにみえるのですから。かれはこういっています。「わたしは行くが、だれかついてくるものはいるか？」それだけなのです。

PC　たぶん、いささかの脅しはかけているでしょう。こういったとは想像できませんか。「おまえたちは腰抜けだ。メキシコ人たちはやってきておまえたちを殺すのだ、それでも復讐しようとしないのか？」、そしてさらにこういいます。「どうした？　ついてこないというのか、おれが完膚なきまでの勝利をくれてやろうというのに」。一度目の出撃が、メキシコ人に対する完全なる勝利をもたらしたことはたしかでしょう。だから、このように想像もできるとおもうのですが……。さて、別の例をみてみましょう。これも、北アメリカのものです。ジェロニモの位置にあたる〈大首長たち［les Grands Chefs］〉が、西部にはいます。シッティング・ブル、レッド・クラウドなどなどです。かれらは偉大なるリーダーでした。ですが、命令をくだすという意味では、いささかの権力も保持していませんでした。たとえば、レッド・クラウドは、一八六五年には、スー族の騎兵の「大群」（三〇〇ないし四〇〇人）を率いることができたのですが、それでもわずかの権力をも保持してはいなかったのです。かれは、なにも命令してはいません。たんにずば抜けて賢かっただけのです。理解しなければならないのは、こうしたリーダーたちは、共同体のなかでもっとも知的な男たちであったことです。もっとも明敏で、もっとも政治的であって、だから、他の共同体との関係のなかで戦略を展開することができたのです。かれら独自の戦略ではありません。共同体の戦略であって、かれらはその道具にすぎないのです。レッド・クラウド、シッティング・ブルたちは、大いなる威信を獲得したといえるかもしれません。ですが、それは権力とはなんの関係もないのです。それとこれとは、まったく別物なのです。

AM　未開社会にかんする研究を手がかりにして、わたしたちのこの現代社会にかんしてあなたが定式化されているような問いにかんする、より一般的な質問です。ある意味で、あなたは未開社会を「活用」されているのでしょうか？　これは、このインタビューの冒頭でわたしが提示した問いと、いくぶんか重なります。『国家に抗する社会』を読んだとき、わたしはニーチェのような人々への暗黙の参照が、多かれ少なかれひそんでいるのを感じました（あなたはインディアンの「はれやかな知識」［gay savoir　ニーチェの著作のタイトル］について語られています）。あなたの未開社会の探究は、ニーチェやハイデガーの思想において前ソクラテス期の哲学者たちのはたしていた機能とおなじように機能してはいまいかというふうにもおもえるのです。かれらは、以前に存在していると同時に外部に存在している。しかるに前ソクラテス期からソクラテスへの移行は、未開から「文明」への移行とおなじく思考できないのです。ここに共通点がみられるようにおもわれます。わたしの印象では、ここにはたんなるアナロジーないしひそかな参照以上のものがある、あるいはむしろ、あなたの探究のなかで、そこにはなにか別のものがひそんでいるようにみえます。

PC　なるほど、少なくとも、わたしの初期の著作においてはそうです。というのも、そこでは要するに、哲学的語彙を借用しているわけですし。一九六二年——大昔のことです——に書かれた、もっとも古い「交換と権力——インディアンのリーダーシップの哲学」と題された論文には、それがいえます。ですが、それからなにか大きな変化があったわけではありません。変節漢のかどで非難されるいわれはないのです！　たしかに、当時、わたしは哲学から脱却してはいませんでした。というのも、わたしは哲学徒でありましたし、アグレガシオンの準備で猛烈に勉強をしていたからです。それに、わたしの研究対象がハイデガーであったことも認めねばなりませんね。ですから、この論文を書いていた時代の無意識の癖のようなものが、そこにはつきまとっているのです。つねにたんなる無意識の癖にとどまっていたわけではありません。たとえば、ハイデガーは、「言語は存在の家である、その家にひとは住まう」とか「人間は存在の牧人である」といってます。これは未開人にもあてはまるのです。未開社会は、比類なきやり方で、言語を尊重しています。ここで、未開人によるテキストが参照されなければなりませんね。まさにここに『大いなる言葉』を公刊した理由のいくぶんかはあります。それは、未開人によるテキストなのですから。

そこにはハイデガーとニーチェへの言及があります。ですが、さしあたり言及したぐらいにとどまっています。ニーチェは別ですが……。わたしがニーチェに影響に受けたこと、むろん、とりわけ『道徳の系譜』に影響を受けたことは、認めることができますし、はっきりとそう述べることができます。もし『道徳の系譜』についてあれこれ考察をめぐらさなかったとしたら、「未開社会における拷問について」(『国家に抗する社会』所収)のような文章を書くことはもっとむずかしかったでしょう。それははっきりとしています。しかしその参照は、文章表現上の配慮でもないし、見栄えのためのものでもありません。とても重大なものなのです。おそらく当時の人類学についてなにも知らず、関心をもってもいなかったであろう(それは正しかったのですが)ニーチェのようなひとが、当時のだれよりもはるかに、記憶や刻印の問題について理解していたのはあきらかですから。

AM　自然との関係についての質問です。あなたは、それは規定要因ではないとおっしゃいました。そのいっぽうで、『タッチ・ジ・アース』[27]〔*Touch the Earth*〕を読むと、かれらの自然に対する態度はわたしたちのそれとは根本的に異なっているという印象を受けました。そこにはいわば、自然への敬意ある態度がみられますし、白人による自然のぞんざいな扱いへの驚愕がみられます。このような態度のちがいは、あなたの議論になんらかのかたちで対応しているのでしょうか、あるいはそれはたんにみかけ上の差異にすぎないのでしょうか？

PC　『タッチ・ジ・アース』は、T・C・マクルーハンが集めたテキストと美しい写真で構成された本です。わたしは二つ、三つのテキストを読んだだけですが、すばらしいものでした。

先ほどの話題に立ち返るならば、ここには、こうした人々の言語の事例、かれらが語る様式の事例がみられます。それはすばらしいものです。深い感動を誘うものです。このような語りをするためには、わたしたちは「未開」でなければなりません。それ以外のだれも、このように語ることはありません。今日、それに比肩するものをみいだすことは不可能です。問題を生産様式に還元するわけではありませんが、それら［このように語ることと「未開」であること］はむすびついていて、しかもきわめて緊密にむすびついているのです。未開人は、荒らすことのない人です。未開人は、自然から必要なものを確保します。その必要が充たされたなら、それ以上

27 ―― 『タッチ・ジ・アース』（*Touch the Earth : A Self Portrait of Indian Existence*）。北米インディアンの発言やテキストと写真によって構成され、一九七一年に公刊された本。

求めることはありません。未開経済の問題の核心が、まさにここにあります。それ以外の経済とおなじように、未開社会も必要を充たすよう構築されています。みずからの必要が充たされたと未開人が考えたならば、かれらの生産活動はおしまいです。たとえば、かれらが用もないのに木を切ったり、狩猟をおこなったりすることはありません。そんなことをするはずがありません。未開人が狩猟をおこなうのは、肉にありつくためなのです。未開社会が環境を破壊するという危惧には及ばないのは、そのためです。ただし、多様なローカルな生態学的差異をもつ未開社会は、デカルトの目標を完全に達成しているともいいうるのです。すなわち、自然の主人であり占有者であるという目標です！　アマゾンのインディアンたちは、みずからの環境である熱帯雨林の完全なる支配者です。エスキモーも、雪と氷におおわれた、みずからの環境の完全なる支配者です。定義からして、非農業経済なのにですよ！　きわめて乏しい水資源のもとで暮らしている砂漠の民であるオーストラリア人は、わたしたちにとっては困難であるばかりでなく不可能であるような生態学的条件にあります。しかしかれらは、みずからの環境の支配者なのです。かれらがそれ以外のところではやっていけないというのではありません。それがどのような場所であれ、かれらはおかれた環境をうまく支配するのです。渇きをおぼえたなら、かれらは水のありかを嗅ぎつけます……環境に負けてしまうことがない。複雑な話ではありません。実際、ひとつの社会とは、定義からして、その環境を統御するものです。なぜでしょうか？　もしそうしなければ、その社会は死滅するかその場を去るかなのですから。未開社会は、みずからの環境を絶対的に統御しています。なんのためでしょうか？　資本主義を構築するためではありません。つまり蓄積するためではないし、必要を超えて生産するためでもありません。未開社会は、みずからの必要分以上を生産することはないのです。これらの社会には剰余がありません。なぜでしょうか？　生産能力に欠けているから、技術的に劣っているからでは、まったくありません。未開人たちは完全なる技術者であって、どの社会もみずからの環境を支配しているというとき、わたしはたんなる空語を弄《ろう》しているわけではありません。それらの社会はその環境のもたらす資源のすべてをくまなく活用して、みずからの必要を充たすことができるのです。その技術は、きわめて洗練されています。

アメリカの事例をとりあげてみましょう。南アメリカのインディアンの多数の部族が、たとえばクラーレ▼[28]〔毒矢に用いられる猛毒物質〕をつくるための、洗練のきわみともいうべき化学的技術をもっています。クラーレはいくつかのツル植物のうちにみられます。とはいえ、ツル植物はツル植物であって、弓の先端に塗る容器入りの毒物とおなじではありません。ツル植物と少量の容器入りの毒物のあいだには、多くの加工の過程が必要です。化学的知識が大いに必要なのです。まず、どの種類のツル植物が使えるのか、どれとどう混ぜ合わせるのかの知識をもっている必要があります……アマゾンのインディアンの科学的知識がヨーロッパ人のそれより劣っているとどうしていえるのか、理解に苦しみます。端的に、その科学的知識はかれらの必要に即しているというだけなのです。

大規模な国々、つまり高度文明と呼ばれているもの（無意味な表現です。というのも高度の文明とか低度の文明などというものは存在しないからです。ヨーロッパ人にとってよい文明、すなわち高度文明とは、インカ帝国やアステカとおなじく国家のある文明です。それ以外は低度の文明で劣っている、というのも、そこには国家がないからというわけです）のなかでは、未開社会に車輪がないということはおどろきをもって迎えられます。しかし、それは欠如でも、欠陥でもまったくありません。アステカの子どもたちは、車輪つきのおもちゃで遊んでいたとすらいわれています。それにアステカ人は石を円状に切り分けていましたし、輪というものをよく知っていました。かれらはボールを使うゲームで遊んでもいました。とすれば、球を転がしていたように輪を転がすことも確実にできたでしょう。それでは、なぜかれらは車輪をもたなかったのでしょう？　必要がなかったからです。わたしの考えでは、わたしたちがこの問題をもちだすとき、「なぜ」という問いからではなく、「どのように使用されていたのか？」という問いから出発すべきです。たとえば、インカ帝国が、すばらしい道路網を備えていたことは、わたしたちを驚嘆させます。スペイン人たちも、「スペインにこれと匹敵するものはない」と、ひどくおどろきました。かれらのなかでももっとも教養ある人々が、ローマの道路網のようだと述べています。つまり、インカ帝国は壮大な道路網を備えていながら、車輪を欠いていたのです！　これは矛盾にみえます。しかし当然のことなのです。車輪とは、なんの役に立つのでしょう？　車輪は主要には荷車用動物の飼い慣らし［家畜化］とむすびついています。アンデスには家畜化のできる荷車用動物は存在しませんでした。家畜化できる動物は唯一ありましたし、実際、すでに家畜化されていました。ラマです。ですが、ラマに負わせることのできる荷物は軽量のものだけで、二〇キロ以上のものを背負わせることはできませんでした。したがって、荷車にくくりつけようとも、その意味がなかった。だから、道路はあるけれども、車輪がないということは、まったく矛盾がないのです。逆にいえば、有用であると認めたならば、未開人たちはそれを利用する。さらにいえば、それはしばしば終末のしるし《シーニュ》です。たとえば、アメリカにおける鉄の顛末《てんまつ》がそうです。鉄の到来は、破局だったのです。それとは逆に、南北アメリカ社会のいくつかが馬を使用しは

28―― ヤノマミのクラーレの利用については、ジャック・リゾが次のように記述している。「つるの削りくずが粉末状態になる。呪術師の要請でヒチシウーが別種のつるの、真新しい削りくずを運んでくる。若者が前日に集めておいたものだ。火にあてて、手早く乾燥させたあと、おおまかに揉みくずして前の削りくずとまぜあわせる。その間にトラウエーは葉っぱで円錐状の筒をこしらえた。ヒチシウーが湯をわかす。地上一五センチほどの高さにしつらえた台の上に筒が置かれ、ひょうたんを二つに割ったヒシャクで少しずつ熱湯が注がれる。ほどなくして筒の先から、それ用に残しておいた中心の葉脈を伝って、珈琲色の液がしたたり落ちてきた。クラーレである。／一人ずつ男たちがやってきて、自分の取り分だけ毒を汲んでいく。それから家に戻って、やわらかい繊維をたばねた小さな刷毛を手に、液がすぐ乾くようおき火のうえに矢をかざしながら、せっせと矢じりに毒を塗っていく。ヘブウーが頭痛を訴えた。父親は毒に効力がある証拠だと言う」（『ヤノマミ』、守矢信明訳、パピルス、一九九七年、二二三－二二四頁）。

じめたとき、しばらくのあいだ、それらの社会に活気をもたらしました。いずれにせよ、確実なことがあります。未開社会は、みずからにつきつけられた問題を解決するということです。未開社会は、つねにそうした問題を解決します。なにも、複雑な話ではありません。問題をうまく解決しない社会は死滅したり消滅したりしてしまうのですから。

未開社会の主要な特徴をあげてみましょう。まず、最初のほうでみたように、未開社会が未開であるのは、それが小規模だからです。もしかすると、わたしは、こうした人口動態という指標にとらわれすぎているのかもしれません。ですが、人口問題に対する解決があるとは、わたしにはおもえないのです。第三世界と比較するならば豊かで相対的に人口の少ない西欧では、しばらくはいまのままいけるでしょう……ですが残りの世界はどうでしょうか？　わたしの感触では、数百万年持続してきた人類史においてはじめて、ある著述家の述べたあることとが、もはや真実ではなくなったのです。その著述家とはマルクスであり、その述べたあることとは、「人類はみずからの解決可能な問題しか提起しない」というものです。いまやわたしたちは解決不可能な問題を抱えています。そのなかに人口増大の問題もふくまれているのです。わたしはこの問題に精通しているわけではありません。わたしはまちがっているかもしれません。ですが、つねに食糧の上昇を上回る人口の増大の問題によって、否応なしに拡大しつづける亀裂を目《ま》の当たりにしています。まさにいま、アフリカのサヘル［サハラ砂漠南縁部に広がる半乾燥地域」における飢餓のなかに、わたしたちが目撃している事態です。原因は干ばつだ、といわれるかもしれません。そうです、もちろん数年間も降雨がありません。ですがそれ以外の問題もあるのです。そしてとりわけ、バングラデシュ、インド、パキスタンです。それらの諸国では、事態ははるかに悪いのです。というのも、どのような解決も見あたらないからです。エコロジストも、ＦＡＯ〔国際連合食糧農業機関〕のテクノクラートも、ローマクラブ〔一九七〇年に設立された民間シンクタンク。環境汚染、資源の枯渇、人口爆発などの危機の回避を目的として設立。一九七二年公刊の報告書『成長の限界』が有名〕も、みな口をそろえて、いまから二〇年かけて、アジアやインドで五億の人々が飢餓でなくなるであろう、そういっています。わたしたちは危険な状態にあります。なのに脱出口もないのです。

だからこそ、わたしの意見では、それが出発点であり、それが到着点になるでしょう（人口動態の問題すべてを説明するデウス・エクス・マキナに仕立てたくはありませんが、それがひとつの根本的要因であると、わたしは信じています）。もしこれを真剣に受け止めるとしたら、つまり社会が未開であるため、すなわち国家なしであるための条件、最終的には、疎外が最小であり自由がそれゆえ最大であるような社会のための条件を考えるとしたら、そしてそのための条件が小規模であることだとしたら、社会がそもそも小規模であることをやめさせる原因はなんなのでしょう？それが人口の増大なのです。

さらに、国家が存在するようなとき、未開社会で生じることとは正反対の事態をそこに認めることができます。先ほど、戦争についてお話をしました。国家は戦争を阻止します。国家は戦争状態を阻止します。あるいは少なくとも、戦争の意味は国家のある社会では完全に変化します。もちろん、権力の及ぶ場で、国家は戦争を阻止します。国家は戦争を、内戦を許容できません。国家はみずから権力を行使する人々のあいだに統一を維持するために存在します。しかしいま、わたしたちが話題にしているのは人口動態です。つまり、あらゆる国家――おそらくそれは国家の本質のうちに刻まれているといえるでしょうが――は、出産の増進を求めますし、あらゆる国家は、ほとんど計画的ともいえる人口増大を求めます。つまり、あらゆる国家が多産を奨励し、大規模な人口を求め、ときに人口動態の計画をおこないます。ある意味で、インカの皇帝たちも、家族計画とまったく無縁であったというわけではありません。たとえば、かれらは結婚を促進し、独身であることをほぼ禁止することで、出産を増大させました。そのような意味で、家族計画とはまったく無縁であったというわけではないのです。要するに、独身を禁じられたら結婚しなければならないわけですし、結婚したら子どもをもうける機会もできるわけですから……。

すべての国家が必然的に多産を奨励するのは、人口規模が大きければ大きいほど、貢納や税を支払う人間も増えるし、生産にたずさわる人間も増えるからです。操作できる大衆が増えれば増えるほど、権力も大きくなるし、富や勢力も大きくなる。たんに国家ないし国家機械をある時点で掌握している人間たちの使命というのではなく、国家ないし国家機械そのものの使命(わたしにはそれは国家機械の本質そのもののうちにあるとおもわれるのですが)、それは前方への逃走［拡大］、あるいは征服を強いられていることです。大帝国や大専制君主の歴史は、たえざる征服の物語であり、それを食い止めるのは別の同程度に強力な国家機械のみです。国家機械を止めることができるのは、別の国家機械のみなのです。とはいえ、未開人は例外ですが。すなわち、国家がなんであるかを知らない、知ろうと欲しもしない、真の未開人です。おどろくべきことですが、インカ帝国の拡大はアマゾニアに向かうアンデスの道半ばにして停止しました。なぜならそこが未開人の支配のはじまる場所だったからです。そこにある未開人の諸共同体あるいは諸部族は、みずからが欲したわけではない首長への貢納の支払いをおこなうつもりはありませんでした。しかし、それをのぞけば、あらゆる国家機械の使命とは、膨張することであり、その極限においては、惑星的にまでなることなのです。

AM　とはいっても、「未開人」たちは社会のただなかにあらわれることだってあるのですよね?

PC　もし「未開人」ということで、これまで話をしてきた人々、「首長をひきずりおろせ！」と口にする人々を意味しているのだったら、そのような人々はいつの世にもいたのですよ！　そのようなことを口にするのは、端的に、ますますむずかしくなっていますが。あるいはむしろ、少なくともわたしの考えでは、わたしたちが暮らしているような現代の国家は、いわばますます国家のようにふるまっています。みかけにだまされてはいけません。おそらくジスカール・デスタン[29]のような人間、つまり自由市場を唱えるリベラルの誠意なるものにも、だまされてはいけません。もちろん、ポンピドゥ〔一九六二年から六八年まで、ド・ゴール政権の首相をつとめる。一九六九年から七四年は大統領〕よりはジスカール・デスタンのほうがましでしょうが。わたしの議論は表層的にみえるかもしれません。ですがかれが、マルスラン〔レイモン・マルスラン〕、ドリュオン〔モーリス・ドリュオン〕、ロワイエ〔ジーン・ロワイエ〕[30]の不吉なトリオを追い払ってくれたことを、わたしはよろこばしく感じてはいるのです。ですが、この国家機械の長に一時的に収《おさ》まった男の、よき意志であれ悪しき意志であれ、いずれにしてもそれに幻想を抱いてはならないのです。

西洋社会においてはすべて、国家機械はますます国家としてふるまう傾向があり、たえずその統制の手を伸ばそうと欲しています。つまり、それはますます権威主義的になり、少なくともしばらくのあいだ、多数派の強力な同意をえています。ふつうサイレント・マジョリティといわれるヤツですね。サイレント・マジョリティは左派の側にも右派の側にもまったく等しくあらわれるのもたしかです。私的財産、そして私的財産が争点になるだろう将来の社会主義社会に対する態度にかんする『ル・モンド』紙の調査に、ショックを受けました。私的財産にもっとも愛着をよせ、私的財産を断固として擁護する人間の四七%が、共産党に投票をしていたのです。かように、わたしたちはますます権威主義的国家形態に惹《ひ》き寄せられているようにわたしにはおもえるのです。だれもがより多くの権威を欲しているからです。ジスカールがたとえばガールフレンドと四時間どこかに消えたとしたら、だれもがパニックに襲われるでしょう。首長［リーダー］はどこいった？　消えてしまったら、だれも命令する人間がいないじゃないか！　そういうわけです。

国家機械は、一種のファシズムに行き着きつつあります。ファシスト政党のようなものではありません。内面化されたファシズムです。わたしが国家機械について語るとき、そのさい国

29――　ヴァレリー・マリー・ルネ・ジョルジュ＝ジスカール・デスタン (Valéry Marie René Georges Giscard d'Estaing: 一九二六－二〇二〇年)。フランス第五共和制、第二〇代大統領。在任は本インタビューの時期をふくむ、一九七四－一九八一年。

30――　レイモン・マルスラン (Raymond Marcellin: 一九一四－二〇〇四年)。モーリス・ドリュオン (Maurice Druon: 一九一八－二〇〇九年)、ジーン・ロワイエ (Jean Royer: 一九二〇－二〇一一年)。三人ともフランスの政治家。

家装置（政府とか集権的国家装置）だけを指しているわけではありません。それより下位にある諸機械［des sous-machines］が存在します。それらは真の国家機械であり権力機械です。みかけとはちがって、それらも集権的国家機械と歩調をあわせています。ここで念頭においているのは、政党であり労働組合です。つまりCP［フランス共産党］とCGT［フランス労働総同盟］です。わたしたちはCPとCGTを分析しなければなりません（わたしはいま、じぶんのフィールドを離れつつあります。ここで問題にしているのはもはや未開人ではありません）。それらは国家のメガマシンにおいてきわめて重要な位置を占める諸器官として分析されねばなりません。現在にあるようなこの社会は、権力とそのストッパーからなるみごとな連携なしには、その機能に大いに障害をもつことになるでしょう。ストッパーはそれ自体、PCやCGTの装置が形成するような、権力の濫用にまで発展することもあります。それらを分けることはできないのです。つまりそれらはおなじ社会のうみだした二つの形成体であり、そこには実際、深い構造的共謀が存在するのです。かれらがたがいに毎夜毎夜、「で、きょうはどうだった？」などと電話しているわけではないですよ。マルシェ［フランス共産党の指導者］ならびにセギ［ジョルジュ・セギ、CGTの指導者］とわたしたちを統治している小君主たちのあいだには、構造的共謀があるということです。いうまでもありません。それでは、要するに、政党が欲しているものはなんでしょうか？　権力の座を占めることです。その機械を奪取するための準備は、いつでも万端なのです。

AM　わたしの印象では、わたしたちのこの社会がますます一枚岩で合理的であるとはみえません。『すばらしき新世界』とか『一九八四年』へと社会が向かっているというふうにみなすのは、つまるところSF的な見方ですよね。その逆ではないかとおもうのです。つまり、わたしたちは深い分裂を経験しているのではないか、いま機能している装置によっても社会内部のあらたな構造の出現としても説明できない、落ち着き先をもたないような対立物のバラバラの羅列を経験しているのではないか。そうおもうのです。社会は実際にはバラバラに砕けている。ふたたび、学校の例をとりあげてみましょう。学校をイデオロギー装置とみなす見解があります（アルチュセール）。その論文は、お読みになりましたよね……このようなことは、あなたのものとまったくおなじ理論的枠組みですべて捉えられることではないような気もします。

PC　わたしたちの見解は近いとおもいますよ。といっても、ここでわたしは、異なる見解を無理やりおなじものに仕立てる急進社会主義者を演じているわけではありません。バラバラに砕けているから、より大いなる集権主義があるのです。つまり、わたしにはこの二つは完全にむすびついているようにおもえるのです。現代資本主義は、目に見えて解体しつつありますが、それでも、日々、作動しています。しかし、それが解体しつつあるがゆえに、そして、そこで、多くの場合、システムの周縁部で爆発をみせているがゆえに、システムは、よりがっちりと固まるし、より権威主義的になる傾向があるのです。さっきいったことは、国家がますます全体主義的になっているということではありません。国家はますます国家としてふるまう傾向にあり、たえまなくその統制の度合いを上昇させているということです。国家がすべてになるようなときがあれば、それは全体主義ではないのか、とあなたはおっしゃるかもしれません。それはそうです。いずれにしても、このリスクを完全に排除することはできません。ですが、あちらこちらに断層線があらわれているがゆえに、ますます「ヒビ隠し〔anti-faille〕」も増えていく、つまり、国家も強化されていくわけです。国家はきわめて巧みに、たとえば中絶のようなものを回収することができます。よくいわれるように、かつて、女性たちは、じぶん自身の、みずからの身体の主人ではありませんでした。その原因は国家にあります。というのも、国家が中絶を許容しなかったのであり、そのための法律も存在したのですから。もし法律を遵守しなければ、あなたは無法者です。無法者であるということは、裁判にかけられ、刑務所に収監されるということです。いまでは女性たちはみずからの主人である可能性をもっていますが、国家が変節したわけではありません。かつて国家は女性たちに〔中絶は〕「認められぬ」と言い渡しましたが、いまでは「認めよう」と言い渡します。[31] これは国家機械にとって敗北ではないのです。中絶にかんする法律はよいものです。おそらく不十分なものですが……。しかし、わたしたちは幻想をもってはなりません。それは国家機械にとっての敗北ではないし、ブルジョワ道徳の敗北でもありませんでした。それは上からふってきます。たとえＭＬＡＣ〔中絶と避妊の解放運動」のような数多くの組織のおかげで、上からというだけではないにしても。

AM　まさにあのスローガンをみればわかりますね。最初は「無償の中絶の自由を」でしたが「社会保障による中絶の自由を」に変化したのですから。

PC　そうです。社会保障、それは国家なのです！　la Sécurité sociale, c'est l'État!

31―― 西側ヨーロッパの国家が、人工妊娠中絶や離婚や避妊といった、女性に密接にかかわる問題についての法改正に着手したのは、ようやく一九七〇年代に入ってからであった。

フランスで人工妊娠中絶が合法化されたのは、ジスカール・デスタン政権の一九七五年であった。避妊を規制する法律については、東西ヨーロッパでは一部の国を除いて、六〇～七〇年代前半にかけてかなり緩和されたが、出産奨励政策やカトリックの影響などによる地域差が残っていた。むろん中絶はひそかにおこなわれていたし、中絶手術をするためにイギリスや日本へ渡航する富裕層・中産階級層の女性も数多くいた。とはいえ、当時の多くの女性たちが選ぶことのできた出産制限は、避妊よりも妊娠中絶であった。ちなみに、イタリアでは一九七八年に、スペインでは一九八五年になって、妊娠中絶は条件つきで合法化された。

のちに結果として出生率の低下があらわれ、人口や社会保障の維持が、あらためて国家にとって切迫した課題となっていく。避妊、妊娠中絶といった問題は、国家にとっての重大関心事であり、いまも女性たちの実人生につきまとって影を落としつづけている。

断絶のパッション

ピエール・クラストルとその「事後効果《アフター・エフェクツ》」

解題　酒井隆史

クラストルに抵抗すること、しかしかれを読むことをやめないこと。また、クラストルとともに抵抗すること。かれのその思想のうちのいまだ生きつづけているもの、不穏であるものを直視すること。▼[1]

（エドゥアルド・ヴィヴェイロス・デ・カストロ）

ピエール・クラストルとはだれか？

ピエール・クラストル。一九三四年パリに生まれる。ソルボンヌ大学でヘーゲルとスピノザを研究し哲学を修め、一九五六年以降、クロード・レヴィ＝ストロースの学生として人類学の研究をはじめる。さらにアルフレッド・メトロの指導のもとに南アメリカをフィールドにした政治人類学研究を開始。その後、高等研究院教授となる。一九七七年七月、その影響力のきわみにあるなか、自動車事故によって他界した。

このミニマムな概略をふまえたうえで、かれの知的な歩みについて、そのときどきのフィールドワークをひとつの時代的指標としながら、その都度の重要なテキストについて少しふれていきたいとおもう。▼2

1

最初のフィールドワークは、一九六三年一月から六四年一月まで、およそ一年にわたる、パラグアイのアチェ・グアヤキのもとでの滞在である。「もっとも孤立し、もっとも研究されることが少なかった。一九五九年の降伏以降、切迫した消失の縁《ふち》に立っていた」グアヤキは、農業を知らないきわめてまれな事例でもあった。

　主著『国家に抗する社会』を構成する諸テキストのうちもっとも古いものは「交換と権力――インディアン首長制の哲学」[3]である。その公刊は一九六二年であり、最初のフィールドワークに先立っている。『南アメリカインディアン・ハンドブック』（人類学者ジュリアン・スチュアードの編集で一九四八年に公刊され、クラストルの師であるアルフレド・メトロも参加した）の読書と十六世紀、十七世紀の大年代記作家たちの知識にかんする考察によってつちかわれたというこの論考は、いくつかの語彙や文法の変化――たとえば国家という語彙がほぼあらわれない、自然と文化の対立が頻用されるなど――にもかかわらず、レヴィ＝ストロースの影響を色濃く漂わせつつ、その思考圏から決定的に分岐していくのちの展開を凝縮したテキストである。したがって、ここで少しその概観をおこなってみよう。

　この論文でクラストルは、これまで蓄積されてきた南アメリカの首長をめぐるテキストから、おどろくべき未開社会の機構を見定めている。一見したところ、首長と共同体成員のあいだで女性、財、言語という「記号」を媒介とした交換ないし互酬があるようにみえる。女性、財、言語、それらが、威信や権力と密接にむすびついたものであることはよくわかるだろう。女性が共同体から首長に贈られ、首長からは気前よく財がふるまわれ、その雄弁な舌からは惜しみなく言葉が贈り返される。ところが、よくよくみるとそこで作動しているのは、こうした権力と密着した記号とそのやりとりをおこないながら、そこから権力につながるものを抜く――「権力の提示は〔…〕当の権力を執行させる手段としてのみおこなわれる〔…〕」――といった精妙な仕組みである。「人々が首長を指して、かれにおいて女性と語と財の交換が中断される者と呼ぶ理由もそこにある」。交換の中断、すなわち、首長からは財と言語が贈られ、共同体からは女性が対価として贈られるといった交換ではなく、財を気前よく与えるためにだれよりも激しく働き、だれも関心をよせない言葉をつねにくり出さねばならない首長の身に起きているのは、「かれが集団に依存していること、かれの任務には下心がないことを普段に表明する義務を負わされていること」の表明以外ではない。そして、稀少な女性を贈与されるのも、かれへの貢納などではまったくなく、そのような貴重な価値物の所有者である首長は「そのこと自

1――Eduardo Viveiros de Castro, *Politique des multiplicités : Pierre Clastres face à l'État*, DEHORS, 2019, p.30.

2――Miguel Abensour, Presentation, in Abensour (dir.), *L'esprit des lois sauvages. Pierre Clastres ou une nouvelle anthropologie politique*, Paris, Seuil, 1987. をはじめとするテキストやビブリオグラフィをもとにした。

3――Pierre Clastres, Echange et pouvoir: philosophie de la chefferie indienne, in, *L'Homme*, 2/1, 1962.

体によって集団に対する責任を負い、また女性を介してある意味では集団の虜《とりこ》となっている」[4]というのである！

一九六三年から一年にわたるフィールドワークが、一九六五年の国家博士論文「遊牧部族の社会生活――パラグアイのグアヤキ・インディアン」[5]へと結実し、さらにグアヤキの「同性愛者」と夜に孤独に唄われる狩人の歌をめぐる珠玉のテキスト「弓と篭《かご》」[6]（『国家に抗する社会』所収）などを生む。

2

一九六五年、トゥピ・グアラニの専門家であるレオン・カドガンの手引きでパラグアイのムブヤ・グアラニを訪問する。クラストルはそのさい、グアラニ・インディアンの神話である「美しき言葉」を収集する。「われわれ自身も、一九六五年に調査研究の任務にあった際に、グアラニ族の村々に数ヶ月間滞在した。ムブヤ族のところにも、また彼らと非常に近い隣人であるチリパ族のところにも滞在した。われわれのテキストはすべて、グアラニ語で録音された。インディオたちは、自分たちの言語以外は話さないからである」[7]。カドガンによって収集された神話やその解説、翻訳を利用しながら、みずからの収集したテキストをそれにくわえ、さらに独自の翻訳と考察を展開したのが、一九七四年公刊の『大いなる言葉――グアラニ族インディオの神話と聖歌』（毬藻充訳、松籟社、一九九七年）である。

3

一九六六年と六八年の二回、パラグアイ（チャコ）のチュルピ族（チュルピ・インディアン）を訪れている。この滞在には六七年に『レ・タン・モデルヌ』誌に掲載された「インディアンの笑いを誘うもの [De quoi rient les Indiens?]」（『国家に抗する社会』所収）と「未開戦士の不幸 [Malheur du guerrier savage]」(Libre, n°2, 1977.)（『政治人類学研究』所収）が直接にむすびついている。「後者の研究が示唆するように、クラストルは、みずから収集した未発表の民族誌資料をもとに、この戦士族を対象とした研究を計画していた」▼8。「未開戦士の不幸」と「戦争の考古学」をもとに、よりテーマを戦争と戦士に集中したひとつの著作がもくろまれていたようである。

なお、ミシェル・カトリーと、ピエールのパートナーであったエレーヌ・クラストルとの編集による著作『チュルピ・インディアンの神話』▼9が、かれの死後、一九九二年に公刊されている。

4—— Pierre Clastres, *La société contre l'Etat. Recherches d'anthropologie politique*, Minuit, 1967.（ピエール・クラストル、『国家に抗する社会』、渡辺公三訳、水声社、一九八九年、六〇頁）

5—— La vie sociale d'une tribu nomade; les Indiens Guayaki du Paraguay.

6—— L'Arc et le panier, *L'Homme*, VI, n° 2.

7—— Le Grand Parler. *Mythes et chants sacrés des Indiens guarani*, Edition du Seuil, 1974.（ピエール・クラストル、『大いなる言葉——グアラニ族インディオの神話と聖歌』、毬藻充訳、松籟社、一九九七年、一七頁）

8—— Abensour, *ibid.*, p.8.

9—— Pierre Clastres, *Mythologie des Indiens chulupi, édition préparée par Michel Cartry et Hélène Clastres*, Éd. Peeters.

4

一九七〇年から七一年にかけて、ジャック・リゾ[10]とともにベネズエラの最南部にヤノマミ・インディアンを訪れる。この旅は一九七一年に『レ・タン・モデルヌ』誌に発表された「最後の砦《とりで》」[11]に記録されている。「究極の自由の最後の砦」とクラストルはいう。「まちがいなく南アメリカ中で、そして多分世界中でも、最後の手つかずの未開社会でもあるヤノマミ人」。「南アメリカを通じて、一様に、インディアンは怠け者だといわれている。実際、かれらはキリスト教徒ではないし、額に汗してパンを得る必要性があるとは判断しない。まして、一般的にいって、熱心に汗水を流そうとするのは、むしろ他人のパンを得るためなのだから、彼らにとって悦びと労働は互いに排除しあうものであることがわかる。つまり、ヤノマミにあっては、社会のあらゆる欲求が、平均して一人当たり（大人の場合）、一日三時間の労働によって事足《こと》りることを知る必要があるのだ。［…］余暇の文明、なんとなれば、この人たちは一日のうち二一時間はなにもせずにすごすからだ。退屈なんてものはない。昼寝、喧嘩、議論、幻覚剤、食事、水浴、時間をつぶすことはいくらでもある。セックスはいわずもがなである。かれらがそのことばかり考えているとはいうまい。しかしあきらかに頭に入れている。しっかりと[12]」。

5

一九七二年、『グアヤキ年代記』[13]の公刊（幸いにもわたしたちはすぐれた日本語訳でそれを読むことができる）。パリでこの刊行されたばかりのモノグラフに夢中になり英語に翻訳したのが、まだ翻訳で暮らしを立てていた無名時代のポール・オースターであることはよく知られている。かれは次のように述べている。「この本を好きにならないのはほとんど不可能だと思う。じっくり丹念に練られた文章、鋭利な観察眼、ユーモア、強靭な知性、対象に注がれた共感、それらすべてがたがいに補強しあって、重要な、記憶に残る書物を作り上げている［…］。細部に向ける目は正確で周到であり、さまざまな思考を一貫した大胆な陳述にまとめる能力はしばしば息を呑むほどだ。彼はめったにいない、一人称で語ることを恐れぬ学者である。その結果生まれてくるのは、研究対象となっている人々の肖像にとどまらず、彼自身の肖像である」[14]。この年には重要なエッセイ「多なき一をめぐって」（『国家に抗する社会』所収）が『レフェメール』誌に掲載されている[15]。『レフェルメール』誌はイヴ・ボンヌフォア、ミシェル・レリス、一九七〇年に没

10 —— 次の翻訳がある。Jacques Lizot, *Le cercle des feux. Faits et dits des Indiens Yanomami*, Edition du Seuil, 1976.（ジャック・リゾー、『ヤノマミ』、守矢信明訳、パピルス、一九九七年）

11 —— Le dernier cercle, in *Les Temps modernes*, n° 298.

12 —— Pierre Clastres, *Recherches d'anthropologie politique*, Edition du Seuil, 1980.（ピエール・クラストル、『政治人類学研究』、原毅彦訳、水声社、二〇二〇年、二七頁）

13 —— Pierre Clastres, *Chronique des indiens Guayaki : les Indiens du Paraguay, une société nomade contre l'Etat*, Plon, 1972.（ピエール・クラストル、『グアヤキ年代記——遊動狩人アチェの世界』、毬藻充訳、現代企画室、二〇〇七年）

14 —— ポール・オースター、「訳者から」、『トゥルー・ストーリーズ』所収、柴田元幸訳、新潮文庫、二九九‐三〇〇頁。かれの訳者ノートにも記されているように、翻訳者として身を立てようとしていた無名時代のオースターのすでに一九七六、七年には完成していた英訳は公刊以前にゲラ段階にまでいきながら立ち消えになり、奇妙な紆余曲折をへたうえで一九九七年にようやく日の目をみた。

するまではパウル・ツェランらが編集員に名を連ねた文芸誌であり、ポール・オースターはやはりパリで『グアヤキ年代記』より先にこのエッセイに遭遇している。「[…]私はたちまち強烈な、容易に消えない感銘を受けた。知的で、挑発的で、議論も緻密である上に、文章自体も見事だった。詩人の感性と、哲学者の思考の深さを組み合わせたように思える文章だった。その何の気取りもない直截《ちょくせつ》さ、人間らしさに私は打たれた。七ページ読んだだけで、自分がこれからずっと追いつづけるにちがいない書き手に出会ったことを確信した」。

6

本インタビューの公刊された一九七四年に最後の短い調査旅行。ブラジルのサンパウロ州にグアラニ・インディアンを訪ねる。後述するが、クラストル(ピエールのみならずエレーヌ)たちの終始変わらぬ関心は、トゥピ・グアラニを独特のものにしているひとつの要素、〈悪なき大地〉をめざす予言者運動に向けられていた。これはヨーロッパ人到来に先立ってはじまっていた大移動の運動である。二〇世紀に入ってもこの伝統は細々と維持されており、その最後が一九四七年のパラグアイのグアラニたちによるものだった。クラストルが訪ねたのは、この最後の大移動の生存者たちだったのである。また同年、主要な理論的著作である『国家に抗する社会』と『大いなる言葉』が公刊されている。

一九七六年にはマーシャル・サーリンズの『石器時代の考古学』仏訳版に序文を書き(当初は「マーシャル・サーリンズ『石器時代の考古学』序文」、のちに『政治人類学研究』に収められるさいに「未開経済」とタイトルがあらためられた）、ミゲル・アバンスールの編集するラ・ボエシ『自発的隷従論』の新編集版に、ラ・ボエシ論（「自由、災厄、名づけえぬもの」[16]）を寄稿している。さらにある事典用に「南アメリカインディアンの神話と儀礼」[17]を書いている。いずれも『政治人類学研究』に再録される重要なテキストである。

7

一九七七年には、『リーブル』誌の立ち上げに参加。最晩年の重要なテキストがそこで発表される。創刊号に「暴力の考古学」[18]、第2号に「未開人戦士の不幸」[19]。さらに死の数日前に書き上げられたとはいえ、欠落を残した未完成の草稿であるマルクス派人類学への痛烈な批判「マルクス主義者たちのその人類学」[20]が、翌年に公刊の第3号に掲載される（これらの三つのテキストはすべて『政治人類学研究』に収録されている）。

一九七七年、七月二九日、交通事故により他界。四三歳だった。

15——De l'un sans le multiple, in *l'Éphémère*, n° 19-20.
16——Liberté, Malencontre, Innommable, in *Étienne de La Boétie, Le Discours de la servitude volontaire*, Payot.
17——Mythes et rites des Indiens d'Amérique du Sud, in *Dictionnaire des mythologies et des religions*, Flammarion, 1981.
18——Archéologie de la violence, in *Libre*, n° 1.
19——Malheur du Guerrier sauvage, in *Libre*, n° 2.
20——Les marxistes et leur anthropologie, in *Libre*, n° 3.

このように「交換と権力」の発表からわずか十四年あまり。疾風のごとくこの世を駆け抜けていったピエール・クラストルは、フィールドとの往復のなかからつむぎだされた思考の痕跡をテキストとして残していった。そしてそれが人文社会科学全域にもたらしたインパクトは強力なものであり、いまだにその事後効果は衰えることがない。未熟なゆえに国家を欠いているどころか、未開社会は国家の出現を積極的に阻止しようとしていること、政治が不在であるどころか、あらゆるヒエラルキーの永続化を拒否するためにめぐらされた複雑な論理と制度によってたえず政治を行使していること。クラストルによって未開社会は、「国家なき社会」から「国家に抗する社会」へと変貌を遂げたのである。

未開社会のイメージが変容をせまられただけではない。クラストルによる「コペルニクス的転回」は、人類学とその対象である未開社会の領域を超えて、国家や権力、そして政治、経済、社会にかんするわたしたちの観念に大幅な変更を強いるものでもあった。その革命的インパクトは、人類学の領域を超えて波及しながら、ひとつの知的不回帰点としていまにいたるまでわたしたちの世界像の刷新を促している。

この訳者解題では、本書において訳出したクラストルのもっとも著名かつ重要なインタビューを中心的な手がかりとしながら、「クラストル効果」の軌跡をたどっていきたい。とはいっても、いうまでもないことだが、その効果をあますところなく描きだすことは解題者の手にある。したがって、ここでは、インタビューを取り巻く複数の知的遭遇の意味するものから出発し、その遭遇にある一致や亀裂をたどりながら、ひとつの補助線を導出することを狙っている。

『反-神話』誌インタビューの文脈——「社会主義か野蛮か」、アバンスール、クラストル

思想史的にみるなら、このインタビューは、フランスのみならず国際的なひとつの精神史を表現する重大な歴史的証言でもあるといえる。本書の編者であり、まえがきを書いている政治哲学者のミゲル・アバンスールは、ピエール・クラストルの人類学的思考のはらむ起爆力を他領域にあってだれよりも真剣に受け止め、その思考の領域横断な展開に情熱をもって尽力してきた(「わたしにとって、それ［民族学者ピエール・クラストルの発見］は圧倒的な遭遇でした。とりわけ一九六九年に『クリティーク』誌に発表された「コペルニクスと未開人」を読んだとき、大きな感動をおぼえたのです」[21])。

たとえばピエール・クラストルの死後に編集された代表的な論集の二冊は、ほかならぬアバンスールの主導するものである。まず『未開［野生］の法の精神』[22]。これは同名のコロックの記

録であり、一九八二年に発刊された。多岐にわたる領域の人々のクラストル論を収めている。さらに、二〇一一年の『カイエ・ピエール・クラストル』[23]である。これは、同様に人類学のみならず多様な領域の人々によるクラストル論にくわえ、本インタビューが再録され、さらに未公刊のクラストルのエッセイ、インタビューも掲載されるという、研究者にとっては欠かすことのできない資料集ともなっている。

　クラストルの思考は、人類学における構造主義の隆盛とその危機をまたぐ時代に位置していた。「未開」の思考を文明批判のための特権的領域とするというフランスの長い知的伝統を文脈としていた。さらに、この時代のフランスにおけるニーチェ受容にさおをさしていた。[24]そして、それらすべてに強力な彩りを与えていたのが、一九六八年五月という出来事とそれ以降の空気であった。

　本インタビューは、『反‐神話』というタイトルの雑誌に掲載されている。この雑誌はアバンスールの序文［↓15頁］でも訳註［↓13頁］でもふれているように、政治哲学者であるクロード・ルフォールの教え子らによって一九七四年から七八年にかけて計二二号が公刊された雑誌であり、「社会主義か野蛮か」グループの影響のうちにあった。

　とはいえ発音すると舌をかみそうな「社会主義か野蛮か《Socialisme ou Barbarie》」グループとはなんだろうか？　まず、このグループは、二〇世紀後半の「独立左派」であり「リバタリアン社会主義」の潮流に属している、というか、むしろそのような潮流の世界史的形成に一役買ったといってもよい強力な思想的動力と影響力をもっていた。[25] その創設メンバーであり理論的中核をなしていたのがコルネリュウス・カストリアディス［→12頁］である。そしてその片割れであったのがクロード・ルフォール。[26] カストリアディスはイスタンブール生まれのギリシア人だったが、一九四五年にフランスに渡り、そこから拠点をフランスにおくことになった。

21 —— Miguel Abensour, *La communauté politique des « tous uns ». Entretien avec Michel Enaudeau*, Les belles lettres, 2014, p.50.

22 —— Miguel Abensour (dir.), *L'esprit des lois sauvages. Pierre Clastres ou une nouvelle anthropologie politique*, éditions du Seuil, 1987. アバンスールが主導したコロックの記録でもある。タイトルは、モンテスキューとレヴィ＝ストロースが念頭におかれている。

23 —— Anne Kupiec et Miguel Abensour(dir.), *Cahier Pierre Clastres*, Sens & Tonka, 2011.

24 —— Samuel Moyn, 2004, Of Savagery and Civil Society : Pierre Clastres and the Transformation of French Political Thought, in *Modern Intellectual History*, (01), April 2004.

25 —— 一例だけあげれば、C・L・R・ジェームズとの交錯だけをみても「ブラック・マルクシズム」、そしてアメリカ合衆国のニューレフトの形成に与えたインパクトがみてとれるはずだ。

26 —— 日本語で読める著書として、ルフォールについては『民主主義の発明——全体主義の限界』（渡名喜庸哲、太田悠介、平田周、赤羽悠訳、勁草書房、二〇一七年）、『エクリール——政治的なものに耐えて』（法政大学出版局、一九九五年）、『余分な人間——『収容所群島』をめぐる考察』（宇京頼三訳、未來社、一九九一年）など。カストリアディスについては『社会主義か野蛮か』（江口幹訳、法政大学出版局、一九九〇年）、『想念が社会を創る』（江口幹訳、法政大学出版局、一九九四年）、『社会主義の再生は可能か——マルクス主義と革命理論』（江口幹訳、三一書房、一九八七年）など。

一九二二年生まれのカストリアディスは、ある意味で二〇世紀の知識人のひとつの典型を体現する人物形象である。高等学校の段階でマルクス主義にめざめ、早期の段階からギリシア共産党の路線（スターリンに追随するそれ）に疑問をもち、一九四一年からのナチスによるギリシアの占領に対するレジスタンスの渦中にあってトロツキストとして地下活動に身を投じた。一九四四年のナチスの撤退の直後より、ギリシアは内戦に突入するが、ドイツにかわってギリシアに進駐してきたイギリスによってコミュニストの蜂起は鎮圧される（こうしたギリシアの現代史を少しでも体感したいときは、テオ・アンゲロプロスの映画、とくに『旅芸人の記録』をおすすめしたい）。カストリアディスは、レジスタンスのなかにあってナチスとスターリニズムの双方からの追及を逃れながら、一九四五年には亡命に近いかたちで留学生としてフランスにおもむく。それから一九七〇年にフランスに帰化するまで、ＯＥＣＤ（経済協力開発機構）の高級官僚としての表《おもて》の顔と、地下活動家としての裏の顔をもつ二重生活を強いられる。

さて、当時、マルクス派ないし社会主義派のなかで圧倒的ヘゲモニーを行使していたスターリニズムに対する最大の反対派であり「オルタナティヴ」であったのがトロツキズムであるが、この潮流はスターリンに支配されたインターナショナル（コミンテルン）とは別に、第四インターナショナルと呼ばれる国際組織をもっていた。コルネリュウス・カストリアディスとクロード・ルフォールは、そのフランス支部（「国際主義共産党」という名称）の、さらに「分派」を構成していた。かれらは一九四八年に、トロツキズムそのものと袂《たもと》をわかち、翌年から雑誌『社会主義か野蛮か』を発刊する。よくあることだが、この雑誌のタイトルがそのままグループの名称になる。

カストリアディスとルフォールは一九四六年にフランスで出会い意気投合する。トロツキストの主流派に対し執拗に異議申し立てをおこなうカストリアディスにルフォールが共感したのである。カストリアディスはトロツキズムに属しながらもその基本的傾向に納得はしていなかった。ふつふつと抱えていた火種が「分派」形成につながる分岐を促すほどに発火した契機のひとつがソヴィエト連邦の評価であった。一九一七年のロシア革命によって、いわゆる「マルクス＝レーニン主義」が労働運動を中心としたオルタナティヴ諸運動のヘゲモニーを握る。その「マルクス＝レーニン主義」を正当に継承したと称するスターリニズム体制の現実はさまざまに伝えられ、左派のなかにも――マルクス派のなかにすらも――それに疑問をもつ人々があらわれていた。そうした動きのシンボルとなったのが、レーニンとならぶロシア革命の指導者であり、スターリンの権力掌握とともに追放されたレオン・トロツキーであった。

トロツキーの存在は、それそのものがスターリニズムへの抵抗の最大の声だった。だから、かれとかれのその都度の思考や考えがスターリニズムに疑問をもつ社会主義派のよりどころとなりえたのであり、トロツキズムというひとつの理論的・実践的潮流の形成もありえたのである。ところが、トロツキーは、現存ソヴィエト国家をいまだ「労働者国家」とみなしていた。なるほど、官僚たちによる特権的支配は存在する。しかし、かれらは封建貴族やブルジョワジーとは異なり独自の所有の手段をもちえていない。なんとなれば十月革命によって、生産手段は国有化され（したがって形式的には所有は官僚たちではなく国家に属している）、経済は計画化された。しかるに、官僚たちも生産や分配の過程に独立した立場をもちえていない。あくまで支配階級はプロレタリアートであり、それゆえ「下部構造」は社会主義的であって、そのうえに腐敗した官僚層が寄生している「堕落した労働者国家」である、というわけだ。「裏切られた革命」というトロツキーの有名なテキストがあるが、このような歴史観を「裏切り史観」という。それに対し、カストリアディスたちは、ソヴィエト連邦を官僚に支配された「国家資本主義」体制と規定し、官僚主義をその支配体制の本質とみなしていた。生産諸関係を実際に支配しているのはプロレタリアではなく官僚である。というのも、かれらが生産の物質的・人的諸条件を組織し、生産の諸目標と諸方法を決定しているのだから。そして、社会的生産物の分配の様式を規定しているのも官僚たちである。これが本来、生産者たちが生産諸手段を集団的に自由に管理・処理しているはずの社会主義とどう関係があるのだろうか？[27] 訣別は必然だったのだ。

このようにスターリニズムのみならずトロツキズムをも批判すること、その批判的姿勢の根本に「リバタリアン的」といってもよい強力な民衆的イニシアチヴや自律の擁護があったこと、こうしたかれらの指向性が、のちのかれら自身の分裂ぶくみの実践的・理論的展開のみならず、「ニューレフト」の形成において決定的な意味をもつことになる。

本インタビューでも、クラストルがこのような立ち位置と共鳴している部分がみられる。

それで、現実において、ソヴィエト連邦とはなんでしょう？　あなたが共産党員であるのなら別ですよ。その場合、ソヴィエト連邦とは、社会主義とか労働者国家などなどの体現者なり、なんてことになるのでしょう。［そうではなく］神学とか教理問答にどっぷり浸かってたり、まったくの暗愚であったりというのではない人間にとって、ソヴィエト連邦とはなんでしょうか？　それは一個の階級社会です。この言葉を使うのになぜ躊躇しなければならないのか、わたしには理解できません。それは階級社会であり、国家装置から純粋に構成された階級社会なのです。それは諸階級の系譜学をみるに格好の事例であるようにもおもいます。つまり、富裕層と貧困層、搾取者と被搾取者からなる諸階級の系譜学です。この分割、すなわちこの社会の経済的分割は、国家装置の存在からはじまっている。共産党を中核とするソヴィエト国家は、一個の階級社会を形成しました。［↓34頁］

27——「ロシアにおける生産諸関係」、『社会主義か野蛮か』（法政大学出版局）所収。『社会主義か野蛮か』誌の第2号に掲載された、このカストリアディスのテキストのもたらした波紋の大きさについては、Abensour, *La communauté politique des « tous uns »*, p.55. をみよ。また、江口幹の『疎外から自治へ——評伝カストリアディス』（筑摩書房、一九八八年）もみよ。

クラストルが、みずからのフィールドの観察と考察からみちびきだした洞察を「社会主義か野蛮か」に端を発する社会主義体制批判と重ね合わせていることがわかるだろう。それどころか、ある意味で、みずからの主張を裏づける現代的事例とすらみなしている。たんにソヴィエト連邦が、官僚支配による「国家資本主義」体制であるというからだけではない。支配と被支配の関係が生産様式（経済的次元）から派生したのではなく、国家装置から直接に構成されているひとつの事例とされているからである。

「社会主義か野蛮か」グループは、構成員という点では、多いときでも一〇〇人をかぞえる程度のマイノリティ的存在だったが、その知的・政治的インパクトは大きく、先述したように戦後の「ニューレフト」の台頭と響き合いながら一九六八年前後に「再発見」される。本インタビューをおこなった『反‐神話』誌自体が若い世代の「社会主義か野蛮か」への強い関心から生まれたものであることを考えれば、それはわかるだろう。アバンスールの序文にあるように「いまださめやらぬ」一九六八年五月の熱気がこのインタビューを包囲していることを押さえておく必要がある。ピエール・クラストルが、思想的な次元だけでなく、現実にこのグループと親密に交わりはじめたのは、このインタビューの時期からのようにおもわれる。

アバンスールの序文でもとりあげられているマルチェンコにかんするテキスト（「マルチェンコ」〔↓13頁〕）は、この独立左派の潮流との立ち位置との共鳴をもっともよく表現している。この短文は「社会主義か野蛮か」グループの流れをくむ『テクスチュール』誌[28]に掲載された。その翌年には、先述したようにラ・ボエシの『自発的隷従論』の新編集版に、ラ・ボエシ論としてもかつクラストル自身にとっても重要なテキスト「自由、災厄、名づけえぬもの」を発表。この新編集版の編者がミゲル・アバンスールであり、このヴァージョンには、アバンスールとマルセル・ゴーシェの共著による序文にくわえ、ピエール・ルルーやシモーヌ・ヴェイユ、ギュスタフ・ランダウアーなどなどといった人々の「古典的な」ラ・ボエシ論、クラストル、そしてクロード・ルフォールのあたらしいラ・ボエシ論が付録として掲載されている。アバンスールの指向性をよく反映した陣容である。

一九七七年に『テクスチュール』誌は内部分裂する。クロード・ルフォール、コネリウス・カストリアディス、マルセル・ゴーシェ、ミゲル・アバンスールといった「社会主義か野蛮か」グループ系に属する複数世代の人々とともに、クラストルは、あたらしく創刊された雑誌

28――『テクスチュール』誌は、マルセル・ゴーシェのようなルフォールの弟子の世代とカストリアディスやルフォールら第一世代の合作であった。『社会主義か野蛮か』誌とはちがい、もはや革命的な運動の組織化にではなく、理論活動に力点がおかれる。これについては、たとえば、カストリアディスのインタビューなどをみよ。Cornelius Castoriadis,1990, Entretien d'Agora International avec Cornelius Castoriadis au Colloque de Cerisy.（http://agorainternational.org/fr/CCAIINT.pdf）

『リーブル』誌の立ち上げに参加する。クラストルは同年に初号をみることもなく亡くなるので『リーブル』誌との関与はわずかにとどまったのだが、先述したように、それでもその創刊号に「暴力の考古学」、第2号に「未開人戦士の不幸」と、最晩年のクラストルの重大テキストの発表の場となった。▼29 かれにとって、その潮流への関与の重量がわかるだろう。

政治のコペルニクス的転回と反《コントル》・ホッブズ——ミゲル・アバンスールとクラストル

クラストルとこの潮流との交錯を考えるとき、一九五六年という時代を考慮しないではすまない。一九五六年は、ハンガリー革命（いわゆる「ハンガリー動乱」）の年であり、スターリン批判の開始の年である。それらの事件は、ロシア革命以来の社会主義への信頼を動揺させ、それらをきっかけに多くの知識人が共産党から袂《たもと》をわかつことになる。クラストルも、そのような衝撃波のうちにあった。

共産党と縁を切り、かつレヴィ＝ストロースを媒介に人類学へと転向することで、この危機の脱出を探る若い研究者もいた。その典型が、フランソワ・ドスが「四人組」と呼んでいる、アルフレッド・アドレール、ミシェル・カルトリー、リュシアン・セバーグ、▼30 そしてピエール・クラストルであった。四人ともに、「一九五六年の事態をきっかけに共産党から離れ、哲学から人類学へと鞍《くら》がえするのだが、この選択は政治状況の展開と不可分のものだった[31]」。最初の二人はアフリカ、あとの二人はラテンアメリカをフィールドとして選ぶ。アドレールの回想によれば、「私たちは『悲しき熱帯』を発見した。あのころ、ピエール・クラストルなどは『悲しき熱帯』にすっかり夢中になって、四回も五回も読みかえしていました[32]」。重要なポイントは、かれらには、「思弁哲学」も「歴史学」も「ヘーゲル＝マルクス主義の衰滅とともにその創造的役割を終えた」ようにみえていたということである。「実際彼らがめざしたのは、エキゾティズムの探求といった次元ではな」く、「ヘーゲル＝マルクス主義の単一的な図式にあてはまらない社会、スターリン的教科書では分類の対象となっていない社会を発見することこそが目的だった[33]」。それは、ヘーゲル＝マルクス主義にかぶろうがかぶるまいが「思弁哲学」であれ「歴史学」であれ、それら総体を規定する時間意識や思考様式からいったん身を引き剝がす

29 —— Franck Berthot, 2007, Textures et Libre (1971-1980) Une tentative de renouvellement de la philosophie politique en France, in François Hourmant et Jean Baudouin (dir.), *Les revues et la dynamique des ruptures*, Presses universitaires de Rennes.

30 —— セバーグにかんしては翻訳がある。『マルクス主義と構造主義』、田村淑訳、人文書院、一九七一年。

31 —— François Dosse, *Histoire du structuralisme 1. Le champ du signe, 1945-1966*, Editions la Decouverte.（フランソワ・ドッス、『構造主義の歴史　上巻　記号の肥沃 1945-1966』、清水正、佐山一訳、国文社、一九九四年、二四〇頁）

32 —— *ibid.*（二四一頁）

33 —— *ibid.*（二四一－二頁）

必要を、かれらが痛切に感じていたということでもある。

かたやミゲル・アバンスールは、二〇世紀後半のフランスを代表する政治哲学者であるが、日本語圏ではさしてその名にピンとくるひとが多いとはいえないだろう。一九三九年二月十三日のパリ生まれ。一九七三年に国家博士号取得。ランス大学、一九八五年から八七年まで、国際哲学コレージュの議長、一九九〇年からパリ・ディドロ大学（パリ大七大学）につとめた人物である。

カストリアディスが一九二二年生まれ、クロード・ルフォールが一九二四年、リオタールも一九二四年なので、世代が一回りちがい、レジスタンス世代のカストリアディスたちとはおのずと経験もまた異なっている。さらに厳密にいえば、その機関誌の熱心な読者であり、情熱的なシンパであったとはいえ、アバンスールが「社会主義か野蛮か」グループに属していたことはなく、『テクスチュール』誌においてはじめてはっきりとこの知的潮流に関与している。

「社会主義か野蛮か」グループの趨勢は、西側先進国にあって二〇世紀後半から二一世紀はじめにかけてラディカルな批判的思考のたどったひとつの典型を表現してもいる。先進国においても現存社会主義圏にも、国内のマルクス＝レーニン主義政党やそれと連携する知的潮流にも批判的距離をとる独立左派の歩みは、おおまかにみて、次のような経過をたどった。独立左派として「現存社会主義」に抵抗し、スターリン批判以降の「ニューレフト」の台頭を準備し、かつそこに後継者をみいだし、一九六八年で再活性化し、一九七〇年代以降の六八年の熱の収束とネオリベラリズムの席巻のなか、「リベラリズム」への転向によって順応していく多数とそれに抵抗する少数とに分岐する、といった具合である。二世代にわたる「社会主義か野蛮か」グループは、グループのただなかを貫く分岐によって、この流れそのものを表現しているのである。

すでに一九六〇年代中盤には、カストリアディスはマルクス主義総体との訣別をはかっていた。その延長で一九七〇年代のかれらは「政治的なもの」の考察に照準を合わせる。その探究の方向性は、ひとくくりにして「政治的なものの自律性」ともしばしば表現される。一九八〇年代にフランスでは政治哲学の復活がいわれるようになるが、それを準備したのがかれらでもあった。これは、おおまかにいって従属の度合いはともかく、生産様式との関係において政治的なものを位置づけるマルクス派の思考からの離脱、さらには資本主義の変革にかかわる政治からの距離——相対的自律から離脱までのニュアンスでその立ち位置は変わる——を意味していた。したがって「政治的なものの自律」という発想は、かれらに影響を受けたはずのイタリアのオペライズモ派あるいはアウトノミア派たちの批判の的《まと》であるように、もともときわどい路線であった。それは政治経済学総体の放棄とリベラリズムへの回帰を通してネオリベラリズムに融和する（第三の道、あるいは最近では端的に「ネオリベラリズム左派」「進歩派ネオリベラル」などといわれる立場）危うさを胚胎《はいたい》していた。その最右翼にはマルセル・ゴーシェがいる。クロード・

ルフォールは、微妙な立場をとる。カストリアディスは、根源的オルタナティヴを模索する独立左派の気概を失わない。そして、重要なことは、こうした立ち位置の移動には、つねに歴史の再編成、すなわち「歴史修正主義」がともなっているということであり、[34]とりわけ焦点化したのがフランス革命であった。「フュレ主義」――歴史家フランソワ・フュレによる歴史修正主義――の大波[35]は「社会主義か野蛮か」グループをも呑み込んだ。おなじくクラストルの影響をこうむりながら、こうした支配的動きにのっていったというかその動きに積極的に貢献していくマルセル・ゴーシェとは対照的に、サン＝ジュスト研究から出発したアバンスールは、命脈を失っていく権力つまりアンシャン・レジームとあたらしい権力すなわちジャコバンの国家主義の双方と闘う場をひらいた民衆の「蜂起するデモクラシー」に足場をおきながら、一貫してこの「リベラリズムへの順応」に抵抗したのである。

アバンスールの作業をみると、叢書の監修、過去の思考の発掘、海外の知的いとなみの翻訳や紹介などといったかたちで、フランス語圏内外の他者の思考に照明をあてることに力が割かれており、それゆえに独自の思考の展開は控えめであったといえる。しかし、そのような地道な作業を縫うように積み重ねられた独自の思考の線は、とりわけ冷戦終結から今日にいたる「中道のエキストリーム化」の渦中にあって、ひとつの模範を示唆している。その姿勢こそが、晩年から現在にいたるまでに顕著になってきたアバンスールにかんするテキスト――つまり関心――の増大につながっているといえよう。

とはいえ、ここではアバンスールの議論に深入りする余裕はない。ここまでの文脈でかんたんにいえば、アバンスールの作業は「社会主義か野蛮か」の思考圏をひきつぎつつ「政治的なもの」の刷新をもくろむという目標をもっていた。ここで中核的概念を先述の「蜂起するデモクラシー」と「ユートピアのあたらしい精神」という二つに絞ってみるならば、かれのうちには、かたや政治的なものを解放とむすびつけ、デモクラシーをコンフリクトや分裂と分かちがたいものとして捉えながら、さらにそれを国家の外部において——というより国家に抗するものとして——認識するという指向性があり、かたや、政治的思考のうちのユートピア的エレメントを救出するという指向性がある。▼[36] マルクス、サン＝ジュスト、ブランキ、ウィリアム・モリス、フランクフルト学派、そしてとりわけクロード・ルフォール（とそのマキアヴェッリ）やハンナ・アーレントらの読解からえられたパースペクティヴに、ラディカルな背骨を与えた思考

34—— 一九六八年も歴史修正主義の大波をこうむった。これについては、クリスティン・ロス『68年5月とその後』（箱田徹訳、航思社、二〇一四年）をみよ。そういうとわたしたちも足下にそのような現象との共鳴がみえてくるだろうが、日本の場合、「歴史修正主義」への焦点化がホロコーストや「十五年戦争」の問題に集中し、こうしたネオリベラル化にともなう左派の「リベラリズム」への順応に付随する「歴史修正主義」があまり問われず、問題そのものが分節化されない傾向がある。

35—— ここでその主張をものすごく粗《あら》くいうと、国王の首を切るという行為に象徴されるジャコバン主義的ラディカリズムを批判的にとらえ、むしろテルミドール以降を「正常性」への回帰とする立場である。

がピエール・クラストルであるといってよいだろう。

政治哲学者であるアバンスールがクラストルからえた理論的核心を集約するならば、おそらく「反《コントル》・ホッブズ」となる。かれは『未開〔野生〕の法の精神』に「ピエール・クラストルの反《コントル》・ホッブズ」[37]というタイトルのテキストを寄稿している。このテキストはアバンスールによる主要なクラストル論となるが、この解題での関心でいえば、ここにクラストルの人類学的思考が人類学以外の領域へと波及していくさいのひとつの道筋があらわれている。

本インタビューの序文でも、アバンスールはかれ自身衝撃を受けた「コペルニクスと未開人」で提出された革命的テーゼを三つあげているが、別の場所では、クラストル以前と以後を分かつポイントを以下のようにまとめている。[38]

①未開社会における威信は与えられているが権力はない首長の存在。

②国家のある社会と国家に抗する社会のあいだの区別。「なき〔sans〕」から「抗する〔contre〕」への移行。

③未開の政治、すなわち、国家に抗するあるいは分離した政治権力の登場に抗する諸装置の総体《アンサンブル》。

④未開社会の原理としての戦争。

⑤国家はあらゆる歴史の地平ではない。

⑥政治と国家の分割、あるいは対立。
⑦国家に抗する社会があるならば、国家に奉仕する社会もある。

ピエール・クラストルにおいて、もっとも重要な転換のテコとなるのは、この「なき」から「抗する」への転換である。このわずかな移動がすべてを転覆する。このわずかの言葉の変更によって、貧しい「欠如」の社会は、一挙に「充溢」した豊かな社会に変貌する。そして、国家の「不在」も、「欠如」ではなく、充足した社会が積極的に忌み嫌い「祓《はら》い除《の》け」るものとなる。社会の未熟さとして認識し、未開社会のうちに国家の萌芽をみいだし、それを「進歩」として捉え、国家の登場をひとつの人類史の達成とみなす、そうした現在でもわたしたちの思考を支配している常識すべてが反転するのである。未開社会はみずからの未熟ゆえに国家を欠損した社会であるどころか、それを積極的に拒絶している社会であること、そして、その「抗する」

36——そのさい、後者は初期社会主義のユートピア的要素を現実政治と和解させせつつ官僚政治や全体主義を準備する流れに対するさらなる批判的展開としての「あたらしい精神」が重視される。Miguel Abensour, *Le procès des Maitres Rêveurs : Utopiques* I, Paris, Sens & Tonka, 2013. からはじまる「ユートピア学」を冠する一連の著作を参照せよ。

37——Abensour, Le Contre Hobbes de Pierre Clastres, in Abensour (dir.), *L'esprit des lois sauvages. Pierre Clastres ou une nouvelle anthropologie politique*, 1987.

38——Abensour, *La communauté politique des « tous uns ». Entretien avec Michel Enaudeau*, pp.82-3.

力学、分離した政治権力の形成を阻止する力学を、精妙な諸装置が可能にしていることが重要なのである。

その「抗する」力学、「祓い除け」の力学の二つの焦点としてあるのが、首長制と戦争である。首長制が国家の生成を共同体内で封じ込める装置であるとすれば、戦争は国家の生成を諸共同体のあいだにおいて封じ込める装置であるといえる。とりわけこの二つの焦点が強力に作動することで、国家に抗する社会としての未開社会が存立しているのである。

本インタビューでは、首長制をめぐる力学における言葉の意味について、その論点が再確認されている。

リーダーないし首長は、権力の場を占める可能性も、指揮者になる可能性も、命令を押しつける者になる可能性も有しています。ところが、かれが、そのような者になることはできない。というのも、かれは言語《ランガージュ》のうちに罠にかけられているからなのです。ここで罠にかけられているということの意味は、かれの義務が語る義務であるということです。［↓66頁］

首長はだれよりも雄弁でなければならないが、その美しい言葉はなにを指令することもなく、人々の関心もよせられない。首長はそれでも、しばしば、ただむなしく言葉を語りつづけねばならない。それが義務だからであり、かれが共同体に負った負債だからである。言葉の義務によって、首長は権力への欲望をくじかれ、共同体にがんじがらめになる。ここにみられるのは、ホッブズのいう主権者からほど遠いすがたである。

しかし、アバンスールがこのテキストで注目するのはもうひとつの主要な機構である戦争である。

クラストルの最晩年の主題であった戦争にかかわるテキストが公表されたのが、アバンスールも関与していた『リーブル』誌であることはすでにふれた［→117頁］。先ほどのアバンスールのあげたポイントでいえば、④未開社会の原理としての戦争は、③未開の政治、すなわち、国家に抗する装置として、あるいは分離した政治権力の登場に抗する装置として作動しているというのが、クラストルの戦争にかんする議論の要諦である。

政治哲学者であるアバンスールは、ここでクラストルをホッブズと対決させることで、西洋近代を支配する主流の政治的なものの思考との対決を考えているわけなのだが、かれも指摘するように、クラストルの戦争にかんする議論には微妙な変化がある。まず、最初に「交換と権力」の時点で戦争がとりあげられるとき、そこでは「平時権力」と「戦時権力」とが区別され、戦争中のみ首長が戦士に対し日常ではありえない権力を行使するとされている。「したがって強制力をもった権力というモデルは、集団が外部からの脅威にさらされた例外的な機会に受け入れられるにすぎない。そして権力と強制力との結合は、集団が自分自身だけとの関係となるとき、ただちに停止される」。さらに、もうひとつ一九六九年のテキスト「ある未開〔野生〕の民族誌」である。そこでも「インディアン社会が、首長制と権威との一時的な出会いを黙認するひとつの状況がある。すなわち、それが戦争であり、たぶん、首長が、命令を発し、かれの仲間が命令を実行することを受け入れる唯一の契機である（まだ、もっと仔細に検討されなければならないだろう）[39]」とされる。このテキストでは、アバンスールが注意を促しているように、女性の交換の論理に戦争の論理が従属しているといったようにみえる記述もうかがえる（「しかし、インディアンたちのあいだの「戦争」は、決して殺されることのない女性の流通の観点から考えるべきであることはあきらかのようにおもわれる」[40]）。したがって、このテキストにおいては交換が戦争を「懐柔」しているようにもみえる。[41] これはレヴィ＝ストロースの立場と同一である。

　そこで検討されているのは、本インタビューでも言及される、幼い頃ヤノマミ族に誘拐され、のちに白人社会に復帰し、その経験をつぶさに証言したエレナ・ヴァレロ〔→77頁〕のえがくヤノマミの首長フシウエである。だれからも望まれない戦争に共同体を巻き込もうとして、孤立したまま戦争にのぞみ死んだフシウエの事例が、首長という場をめぐる権力の拒絶の機構として提示されつつも、「しかし」と論旨は転回し、首長の非常時権力の議論へと収斂していくのである。ところが、本インタビューでは、すでにこのような首長の戦時における例外的権力の議論はあらわれず、むしろ、戦時においてすら首長もどのように勇猛で名高い戦士すらも権力を与えられない、というよりは積極的に権力を解除されるその機構のほうが強調されている（そして、このような戦争と権力ないし国家の徹底した切り離しの指向性こそが「戦争機械」という概念を準備する)。

「ある未開［野生］の民族誌」においてはついでに言及されるにとどまったホッブズは、「暴力の考古学」にいたって全面的な対決の対象となる。とはいえクラストルは、ホッブズを称えることを忘れない。「かれ［ホッブズ］以降は消えてしまった明晰さで、このイギリスの思想家は戦争と国家のあいだの深いむすびつき、緊密な関係をあかるみにだすことができた。かれは、戦争と国家とが矛盾しあう項であり、両者が一緒に存在することは不可能で、それぞれが他方の否定を暗に意味していることを、理解できていた。つまり、戦争は国家を妨げ、国家は戦争を妨げるのだ」[42]。つまり、ⓐ国家と戦争が深くむすびついていること、ⓑ戦争と国家は矛盾すること、という二つの論点をホッブズとクラストルは共有している。そこから出発して二つの思考は根本的に分岐する。すなわち、ホッブズは原初の戦争状態が国家によって終結する、とみなしていた。国家があれば平和が君臨するのであって、戦争がはびこれば国家は不在であ

39―― Clastres, *Recherches d'anthropologie politique*, p.39.（『政治人類学研究』、四六頁）

40―― *ibid.*, p.40.（四七頁）

41―― 「この最初のテキストにおいては、交換モデルが戦争の問題を懐柔し、戦争の効果を薄めているようにみえる」（Abensour, *Le Contre Hobbes de Pierre Clastres*, *op.cit.*, p.97.）。

42―― Clastres, *op.cit.*, p.206.（『政治人類学研究』、二二六頁）

る、というかたちで両者は矛盾しているのである。ところがクラストルにおいて、この論理は逆転する。ひとは不断に戦争状態を構築することによって、みずからの意志で社会から分離した権力の生成を阻止し、国家(〈一なるもの〉)を祓い除けている、とされるのである。ここでは、ホッブズが準動物的カオスとみなした自然状態は社会状態となり、カオスにみえるものは諸装置によって作動する精妙な力学となる。未開社会の場合、戦争は固有の意味で社会的－政治的活動であり、社会的なものの政治的制度の焦点そのものと把握されうる。その特殊性においてこの社会の制度——分割されざる社会的秩序——は、戦争の事実そのものを通して生じるのである。

ここにいたって、未開社会へアプローチする二つの原理的モデル、すなわち戦争モデルと交換モデルは、戦争モデルのうちに交換モデルが従属するというかたちで再編成される。未開社会は一般化された交換社会であり、それを構築することで平和を維持する、その失敗が戦争である(レヴィ＝ストロース)、というようなものではない。

アバンスールはこのようにホッブズとクラストルの対決の意義を明確にするが、そこにある含意について、ここではいくつかとりだせるようにおもう。

1

ひとつはアバンスールがサーリンズの概念を借りて(ただしサーリンズを批判しながら)、この未開社会のポリテイア、つまりひとつの政体と位置づけていること。これは、かれが未開社会のこの国家に抗する諸装置を「制度」と呼びたがる傾向ともかかわっている。アバンスールは、その初期のサン＝ジュスト論において、ドゥルーズにならいながら、法とは区別されるサン＝ジュストにおける制度の意義、「共和国」における法に対する制度の優位性を強調していた。[43] そこでいう制度とは、蜂起的なモメントを活動の継続的自由へと転化することを保証するものである。[44] 国家と政治あるいはデモクラシーを区別する、そしてそれらのあいだに原則的には非和解性をみいだすアバンスールの理論的指向性は、このような敵対性を抹消するのではなく、それをひらく政治的なものの制度の可能性の思考に根ざしている。

2

その（未開の）制度すなわち政体の二重の原理を強調すること。クラストルいわく、未開社会の原理は「全体性であると同時に単一性である[45][La communauté primitive est à la fois totalité et unité]」。アバン

---

43 —— Abensour, *La communauté politique des « tous uns ». Entretien avec Michel Enaudeau*, p.48.

44 —— たとえば、施行されなかった一七九三年憲法には蜂起の権利が制定＝制度化されていた。あるいは、ジャコバンの国家機械に対する蜂起する民衆のパリのセクションである。これについては、Miguel Abensour, *La Démocratie contre l'État : Marx et le moment machiavélien*, Félin, 2012.（ミゲル・アバンスール、『国家に抗するデモクラシー――マルクスとマキァヴェリアン・モーメント』、松葉類、山下雄大訳、法政大学出版局、二〇一九年、三三－四頁）などをみよ。

45 —— Clastres, *Recherches d'anthropologie politique*, p.192.（『政治人類学研究』、二一〇頁）

スールはこの二つの原理を「自律的全体性」と「同質的単一性」に分け、それぞれが、ホッブズの原理（戦争仮説）とレヴィ＝ストロースの原理（全般的交換仮説）の二者択一を乗り越える地点とみなしている。つまり、交換によっておびやかされながらも「自律的全体性」を保持することで、それは自己統治体として機能している。そして、「同質的単一体」であることによって、それは内側からの分割、すなわち、支配する者と支配される者の分割の生成を阻止している。交換を戦争の失敗や昇華と捉えるレヴィ＝ストロースやサーリンズに対しても、この二つの平面が異質であることを強調すること、そしてクラストルが示しているように、戦争のなかで同盟というかたちでいやいやおこなわれる交換、それでもたえず縮小しようとする共同体の傾向のなかに交換をおくことが重要なのである。

さて、アバンスールのこのテキストにおけるクラストルの読解はかなり字義に忠実であり、それ自体がきわめて興味深いとは決していえない。むしろここで興味を惹くのは、アバンスールが未開社会を対象とする人類学ないし民族学の発見のもつインパクトを政治哲学へと越境させようとするときに起こる、ある種の「トラブル」である。クラストルは、政治ないし社会をめぐる思考の近代ヨーロッパというよりはヨーロッパ的伝統すべてから脱出し、その総体を括りだすほどの強力な外の論理をつきつけた。アバンスールは、それでもクラストルがそこから出発している政治哲学との共有部分をみいだし、それによって政治哲学のディシプリンとしてての復活以上の自己刷新のエンジンにしようとする。ひとつには、モンテーニュ、ラ・ボエシ、ルソーといった、未開の思考を重視し、みずからの文明総体を批判的に捉え返し、さらにそこにひそむ革命的含意を導きだそうとする、ヨーロッパにおける対抗思潮、ないし対抗的実践が発見されることになった。とはいえ、クラストルが未開にみいだしたのは、国家の登場を阻止する力学だった。アバンスールは、いわば国家を「阻止し損ね」、国家がすでに登場した世界のただなかであれこれ考え、悩んでいる。そのような断絶から、はたしてどのような含意がとりだせるのだろうか？　わたしたちのこの社会は、少なくとも公式には「国家に抗する」、弱々しい、クラストルのえがく未開社会に比するならばはるかに魅力の乏しい契機を制度化している。[46]はたして、どのように異なるヴィジョンが導出できるのだろうか？

強制的権力と非強制的権力
——フーコー、ニーチェ、クラストル

ここで別の思考の線を導入してみよう。

おそらく、権力と強制、国家、抵抗という語彙群に関心をもつならば、同時代の存在であったミシェル・フーコーとの関係性へと想像の及ぶのは無理がないはずだ。

フーコーがクラストルに言及したことは、いま探すことができないのだが、解題者の記憶ではごくわずかだがある。クラストルも、わずかにある。しかし、かれらが思考において対話をするといったかたちで参照しあったことはないようにおもう。

ここでも、アバンスールが外部からそれを試みている。序文でかれは、端的にこういっている。「ミシェル・フーコーのテーゼによって、ひとは権力をいたるところにみいだすようになった。それはまちがっている」。この言明が、はたして「俗流フーコー主義」に限定されるのか、フーコーそのひとにも拡大されるのかよくわからないのだが、アバンスールはフーコーにはむしろ冷淡ともみえるそっけなさを示しているようにみえるから、このちがいはあいまいであるようにおもわれる。本書の序文でかれは、「権力の連続体」と「ミクロ権力」という概念をあげながら、それが未開社会にも権力の萌芽をみる伝統的社会観との連続性を保持しているかのように論じている［↓21頁］。

さて、ここで重要なことは、「強制」である。クラストルは、「コペルニクスと未開人」で次のようにみずからの主張をまとめている。

〔1〕さまざまな社会を、権力のある社会と権力なき社会の二群にわけることはできない。われわれは逆に（民族誌のデータにまったく背馳することなく）政治権力は普遍的で、社会的なものに内在している（社会的なものが「血のつながり」によって規定されているとして

も、社会階級によって規定されているとしても）と考える。ただしそれは強制的権力と非強制的権力という主要な二つの様式のもとで現実化される。

〔2〕強制としての政治権力（すなわち命令－服従の関係）は、真の権力の唯一のモデルではなく、ひとつの特殊ケース、たとえば西欧文化（これだけに限られるわけではないが）といったある一定の文化における政治権力の具体的現実化なのだ。したがって、権力のこの様式のみを参照枠として、他の異なった様式を説明する原理として特権化すべき科学的理由はない。

〔3〕政治制度のない社会（たとえば首長の存在しない社会）においてさえ、政治的なものは存

46――クラストルから出発しながら、そのインパクトを近代国家のもっとも弱々しいエレメントに封じ込めてしまったのが、マルセル・ゴーシェである。ヴィヴィエロ・デ・カストロは次のように辛辣に批判している。「ゴーシェは国家の起源を、まさにこの起源の外在化そのものに帰属させている――超越の場所を人間が奪取することによって――。そしてそこから（せんじつめるならば）リベラルな立憲国家の美徳の考察へと向かう。その体制においては、社会は自律の理想的状況に、その「制度的」部性そのものを破壊することはない社会のシンボリックな源泉を巧みに内在化することによって。クラストルのアナキズムの止揚による、いわば国家に抗する国家である。それはつまるところ、防衛的な政治的プログラムに変形するのである」（Eduardo Viveiros de Castro, *Politique des multiplicités. Pierre Clastres face à l'État*, p.55.）。要するに、ゴーシェにかかればクラストルの「未開／野生の」アナキズムは「国家に抗する国家」たる立憲主義へと変質するのである。

在し、権力の問題は提起される。〔…〕政治権力が、人間の本性《ナチュール》つまり、自然の存在《エートル・ナチュレル》としての人間に内在する必然性ではない（その点でニーチェはおもいちがいをしている）としても、それは人間の社会生活に内在する必然性なのだ。暴力なしに政治的なものを思考することはできるが、政治的なものなしに社会的なものを考えることはできない。いいかえれば、権力なき社会は存在しない。▼47

この三点にわたる議論をふまえてフーコーの権力について検討してみよう。フーコーとクラストルとが権力をめぐって、ほとんど和解しがたいともいえる微妙な関係にあることはまちがいない。クラストルは、強制的権力と非強制的権力を区別し、後者に未開社会における国家に抗する力の行使をみいだしている。両者はきわめて異質な力であるが、しかしともに「権力」ではある。本インタビューでクラストルはシャーマンをとりあげながら、その「権力」の「あいまいさ」を分析している。シャーマンは未開社会において、「もっとも権力を有している」人間である。しかし、それは「政治的性格」をもっていない。つまりそれは、強制力をもってひとを服従させる「権力」ではない。政治的性格をもつ権力とは、「強制的権力」のことであることがわかる。政治的なものを強制的権力ないし国家の境界を超えて広域に拡大するクラストルの議論において、「政治権力」とは国家を創設するタイプの力、強制的権力なのである。またクラストルはここで、この権力の差異をdes pouvoisとle Pouoirといった具合に、小文字（かつ複数）で表現されるそれと大文字で表現されるそれの差異によって示そうともしている。本書ではそれを諸［権］力と〈権力〉といったふうに訳し分けている。des pouvoir については、それを諸力とか諸能力といった具合に日本語をあてることも考えたが、しかしこれらが両者ともに同一のタームでクラストルが表現していることは重要である。インタビューでも述べられているように、シャーマンの諸［権］力も共同体にとってはひそやかな脅威であり、「シャーマンには警戒おこたりなくしなければならないことも知っている」のであるから。

まさにこのあいまいさゆえに、クラストルにおいて権力をめぐる語彙の動揺がみられるのである。クラストルのテキストを読み慣れない読者が最初にとまどうところである。たとえば未開社会には権力が不在であるといわれる場合もあるが、そのさいには強制的権力が不在（したがって非強制的権力は存在する）であるとつねに読み替える必要がある。もっとも重要なのは、国家の不在を権力や政治の不在とみなさないこと、権力も政治も国家に還元できないということなのである。

こうしてみれば、このような国家に還元できない権力という発想が、一見するとフーコーに近似していることはあきらかである。ところが、ここで強制的／非強制的という分類をフー

47――Pierre Clastres, *La société contre l'Etat. Recherches d'anthropologie politique.*（「コペルニクスと野蛮人」、『国家に抗する社会』所収、二七―八頁）

コーの議論と重ねてみるならば、その差異がきわだってくる。要するに、アバンスールの批判は、権力の遍在を強制的権力の遍在と（俗流の？）フーコーがみなしていることに対するものである。もちろん権力の強制性よりも「自発性」を重視したという点で、ある意味でフーコーも「非強制的権力」を探究したというむきもあるかもしれない。しかし、クラストルにいわせるなら、フーコーのいう権力は支配／服従関係を内包しているわけだから、当然、強制的契機は存在していることになる。もちろん、ここには「自発的に強制される」といった問題がひそんでいるといえるかもしれない。ラ・ボエシに傾倒していたクラストルはこの「自発的隷従」の問題を重視するが、しかしそれは、あくまで国家のある社会にのみ内在する問題としてである。したがって、自発的であろうがなかろうが、すでに国家のあるかぎり権力には強制性が付随しているのである。

こう考えていけば、フーコーが問題にしているのはやはり「強制的権力」なのであり、したがって「非強制的権力」の入る余地はないとなるだろう。しかし、その余地のなさは、そもそも「国家のある社会」におけるそれの余地のなさではないか、という疑問も当然でてくるだろうし、それは重要なポイントであるが、この点についてはあとで戻ってこよう。

おそらくフーコーの権力の理論には、実際、体系としてはその余地はなかったといってよい。ただし、最晩年にいたって、この問題設定はフーコーなりにとりあげられ、再定式化されている。すなわち、権力が服従をつねにもたらすわけではない。服従がもたらされるときは、その関係性が逆転可能性にさらされないとき、すなわち一定の凝固作用をみるときである、という議論である。そしてその逆転不可能性に凝固した権力のゲームを、フーコーは「支配」と呼んだ。この再定式化は、クラストルの議論に照明を与えてくれる。すなわち、クラストルの国家を遠ざけている未開社会も、さまざまの権力をめぐるゲームをくり広げてはいる。だが、それが凝固することを許さないのである。この平等主義的な未開社会でも、ヒエラルキーがみられないことはない。しかし、それが支配関係として凝固することはないのである。

ついでに、クラストルを通して、ニーチェ的思考といえるものに対して、どこにわたしたちが共有し、どこで袂《たもと》を分かつべきなのかも、手がかりがえられるようにおもう。[48] クラストルへのニーチェの影響はいうまでもない。たとえば、先ほどの「コペルニクスと未開人」では、「権力について真剣に問うことができるのか？」と問い、ニーチェの『善悪の彼岸』の一節が引用されている。

48 —— アバンスールは、もうひとつかれの編集したクラストルの論集（『カイエ・ピエール・クラストル』）にもひとつの論考を寄稿している。Miguel Abensour, Lire Pierre Clastres à la llumiére de Nietzsche? in Anne Kupiec et Miguel Abensour (dir.), *Cahier Pierre Clastres*, Sens & Tonka, 2011. ここでの議論は、このテキストでのアバンスールの議論を下敷きにしている。

人間が存在するかぎり、すべての時代において人間畜群も存在した（血族団体・共同体・部族・民族・国家・教会）。そして常に少数の命令者に対して非常に多数の服従者がいた。――従って、人間にあっては服従ということがこれまで極めてよく、また極めて永い間にわたって訓練され、育成されて来たことに鑑《かんが》みて、当然、次のように前提して差し支えない。すなわち、平均して現今では誰でも一種の形式的良心として、「なんじ何事かを無条件に為《な》すべし、何事かを無条件に為さざるべし」と命じるもの、要するに「なんじ為すべし」と命じるものに対する欲求を生れつきにもっている。▼[49]

クラストルはこのようなニーチェの議論が、「ある思考の領域を正確に画定しとり出してはいる」という。すなわち「かつては思弁的思考のみにゆだねられていたが、この二〇年程の間に、まさに科学的使命を帯びた研究の対象となった領域なのだ。すなわち政治的なものの空間であり、その核の部分に権力の問い」である。

ただし、こういいながらクラストルはこう留保する。ニーチェは「皮肉が真相を衝いているか否かほとんど気にかけていない」。

つまり、クラストルはこのニーチェの言明は、問題の領域はするどくえぐりだしてはいるが、真相は必ずしも突いていないというのだ。

本インタビューでは、ニーチェの影響はもう少し詳細に述べられている。

わたしがニーチェに影響に受けたこと、むろん、とりわけ『道徳の系譜』に影響を受けたことは、認めることができますし、はっきりとそう述べることができます。もし『道徳の系譜』についてあれこれ考察をめぐらさなかったとしたら、「未開社会における拷問について」(『国家に抗する社会』所収)のような文章を書くことはもっとむずかしかったでしょう。それははっきりとしています。しかしその参照は、文章表現上の配慮でもないし、見栄えのためのものでもありません。とても重大なものなのです。おそらく当時の人類学についてなにも知らず、関心をもってもいなかったであろう(それは当然のことですが)ニーチェのようなひとが、当時のだれよりもはるかに、記憶や刻印の問題について理解していたのはあきらかですから。[→88頁]

ニーチェの影響はとりわけ『道徳の系譜』に集中しているようだ。記憶と刻印の問題についてはあとにまわすとして、『道徳の系譜』といえば負債についての議論、負債を支配と被支配の根源においた議論がその核心部分を構成している。

49—— Clastres, *La société contre l'Etat.*(同右)よりの引用。

その「負債」について、クラストルはあるところ（「未開経済」）で、次のようにいっている。「民族学者には一般的に知られていないが、多くの困難をうまく解決できるようにするひとつの概念道具がある。負債というカテゴリーである」。負債について、クラストルはあきらかに民族学者よりもより多くニーチェに学んでいるようだ。「権力の関係の中心には負債の関係が成立しているのだ」。[50] たしかに、未開社会の首長とメンバーの関係の中核には負債の関係がある。

ところが、である。ニーチェが負債をみいだそうとしたのは、支配／服従の関係の淵源においてであった。われわれの社会でいえば、首長つまり指導者あるいは支配者とメンバーの関係に債務関係があるといえば、たしかに、われわれが債務者であるとイメージされることが多いだろう。つまり、指導者ではなくわれわれが負っているということになる。ところが、クラストルのみる未開社会においては、この負債の向きが反転している。

気前のよさの義務は、当然、首長制のなかで、交換をするパートナーたちを平等と位置づける平等主義的原則を含意している。つまり、社会は威信を「提供し」、首長は財と交換で威信を獲得する。財の支給なしの威信の承認はありえない。しかし、そこにかかわる当事者たちの平等性を保証する契約だけをみることは、気前のよさの義務の真の本質を誤解することとなろう。この見かけの下に、社会と首長の根深い不平等が隠されて、

> いるのだ。首長の気前のよさの義務は実際、責務すなわち負債である。まさにリーダーであるかぎり、かれは社会との関係で負債状態にある。そしてこの負債を、少なくともかれがリーダーでありつづけたいと望んでいる間は、決して返済することができない。つまり、リーダーであることを止めれば、負債もまた消滅する。なぜなら、負債はもっぱら首長と社会をつなぐ関係を示しているだけだからだ。[51]（強調は引用者）

つまり、ニーチェの負債は支配／被支配関係を生産する装置であったが、クラストルの未開社会において、それは支配／被支配関係を生産させない装置として作動しているのだ。

ここでもクラストルとニーチェの関係は、クラストルとホッブズとの関係に近いものがある。負債は権力関係であり、それが社会の核心を構成している。ここはニーチェとクラストルが共有するポイントだ。だから未開社会を権力のない社会とする見方は誤っている。しかし、負債をめぐる権力関係は、首長を債務とその返済で縛ることによって支配者と被支配者の分割の生成を拒否するために行使されている。要するに、ニーチェのうちにも「政治権力は、最終的には、強制関係に帰着するある〈関係〉においてのみ見出される」という常識的確信がみられる

50―― Clastres, *Recherches d'anthropologie politique*, p.140.（『政治人類学研究』、一五五頁）

51―― *ibid.*（同上）

のであって、「ニーチェと、ウェーバー（暴力の合法的仕様の独占としての国家権力）と現代民族学はみかけ以上に近く、言葉遣いが少々異なってはいても、共通の基盤から、すなわち、権力の真理と存在は暴力のなかにあり、権力については、その述部つまり暴力なしには考えられない、という共通の基盤から語っている」。もちろん、ニーチェの議論がそのまま適用される社会もある。王権のある社会では、債務を負っているのはもはや首長ないし王ではなく「平民」である。本インタビューにもあるように、その債務は「貢納」というかたちで支払われる。要するに、負債の方向によって、その社会と国家のありかたが根本的に区別される。クラストルはこう表現している。

> もし負債関係が首長から社会に向かってなされるならば、社会は分割なしにとどまるということであり、権力は等質な社会体の上に折り畳まれたままである。反対に、負債が社会から首長の方へなされるならば、権力は社会から分離し、首長の手に集中するようになるということであり、それ以降、社会の不等質的ありようは、支配する者と支配される者の分割をふくむことになる。▼52

ここからもう少し立ち入ってみたいとおもう。「記憶と刻印」の問題である。

クラストルが『テクスチュール』誌に寄稿した「マルチェンコ」というエッセイについて、本文の訳註で、その全文を訳出しておいた〔→13頁〕。内容についてはそれを参照してほしいのだが、この短いテキストで重要であるのは、たとえば以下の箇所である。「あたらしい官僚という階級は、社会に対して、社会に抗して〔contre la société〕、無慈悲なやりかたでその権力を行使している」[53]（強調引用者）。ここは、クラストルがみずからの人類学的洞察を現代社会へ展開している数少ない箇所である。とりわけ「現存社会主義」国における国家体制においては、「社会が国家に抗する」のではなく「国家が社会に抗している」というのである。

本インタビューでは〔→88頁〕、ニーチェの『道徳の系譜』なしに「未開社会における拷問」（『国家に抗する社会』所収）は書かれなかったといわれている（この論文の初出は一九七五年である）[54]。ニーチェは『道徳の系譜』で、負債の返済ができなかった人間の肉体には焼ごてによる刻印が押され、それが人間の記憶を形成したというような議論を展開している。このような見解は現代の権力をめぐる議論に多大なる影響を与えた。しかし、ここでもまたクラストルに対する影響は両義的である。

マルチェンコの名は、まさにこの記憶と刻印の問題と関係して、この論文にあらわれている。

52 —— Clastres, *ibid.*（一五六頁）

53 —— Pierre Clastres, Marchenko, in Anne Kuplec et Miguel Abensour (dir.), *Cahier Pierre Clastres*, p.355.

54 —— *L'Homme*, XIII, n° 3.

そして、作家の想像力にすぎないものを社会的事実のレベルに還元することは不可能だという反論がなされるとすれば、この場合、カフカの妄想はむしろ予見しているようにみえること、文学的なフィクションはもっとも現代的な現実を告げ知らしめるものだと応じるだろう。マルチェンコの証言は、カフカの予想した法とエクリチュールと身体の三者の連携に、明晰なしかたで実例を与えているのだ。▼55

「カフカの予想した法とエクリチュールと身体の三者の連携」というフレーズであるが、ここで参照されているのはカフカの短編小説「流刑地にて」である。この短編小説をカフカが書いたのは一九一四年である。概略するとストーリーは次のようなものである。ある流刑地に学術調査のために旅行者がやってくる。その旅行者に対し、将校が誇らしげに処刑のための機械を紹介する。先司令官の発明になるというその機械に、司令官は奇妙な愛着をもっており、興味のなさそうな旅行者に熱心に説明をしながら、みずから手を休めることなく操作している。寝そべった囚人の肉体に針が判決を長時間かけて刻み込んでいく、そのような機械である。▼56 この機械は、いうならば権力による罪責の肉体への刻印とそれを自動機械にゆだねる官僚主義との悪夢的合体を表現しているといえるだろう。クラストルは、このカフカの自動機械がマルチェンコの遭遇した収容所の世界を予言しているというのである。とはいえ、それはカフカの世界とまったく等しいものではない。

しかし、一九六〇年代から一九七〇年代のソ連の収容所の現実には、虚構の流刑を超えるなにかがある。すなわち、後者においては、法の体系は、受動的に試練に耐える囚人の身体に文字を書き込むための機械を必要とするのに対し、現実の収容所においては、三者の連携の緊密さが極限にまでおし進められ、機械の必要性すらも廃絶されているのだ。あるいはむしろ、囚人自身が法を書き込む機械に変身し、法をみずからの身体に書き込む、というべきかもしれない。モルダヴィアの徒刑刑務所では、法の峻厳さは、みずからを表明するために、罪人＝犠牲者の手そのもの、身体そのものを手段とするのだ。極限に到達し、囚人は絶対的に法の外におかれる。文字を書き込まれた身体がそれを告げている。[57]

ここだけ読むならば、ソヴィエトの収容所では、このカフカの世界においては機械にゆだねられる罪責の刻印を囚人自身が代行しているといったようにもみえるだろう。

55——Clastres, *La société contre l'Etat*, p.153.（『国家に抗する社会』、二二二頁）

56——フランツ・カフカ、「流刑地にて」（『カフカ短編集』所収、池内紀訳、岩波文庫、一九八七年）など。

57——Clastres, *op.cit.*, p.153-4.（二二三頁）

ところがマルチェンコの著作そのもの（『わたしの供述』）を読んでみると、その印象はいささか変わってくる。クラストルはこの論文でマルチェンコの著作を引用しているのだが、[58] マルチェンコの同書で該当する部分の日本語訳は以下のようなものである。

というわけで――刺青ということになる。／わたしは、以前は刑事囚でいまは政治囚の、あだ名をムーサとマザイという二人を知っている。そのひたいとほほには、「コンムニストども――首斬り人」、「コンムニストどもは国民の血を吸っている」の刺青がある。その後わたしは、それに類するいいぐさを顔に入れ墨しているたくさんの囚人に会った。多くは太い文字で、ひたいいっぱいに、「フルシチョフのどれい」、「ＣＰＳＳ［ソ連共産党］のどれい」と書かれてある。[59]

入れ墨にふれられるのはこの箇所だけではない。実は『わたしの供述』のえがく収容所の風景には、入れ墨は横溢しており、それがきわめて日常的（非日常的環境のもとの）慣行であったことがわかる。そして、そこで囚人たちは、ことごとく入れ墨を通して体制を痛烈に告発しているのだ。その攻防は苛烈きわまりないものである。たとえば以下を読んでみてほしい。

刺青を抹消する手術もしばしば行われる。いまはどうか知らないが、一九六一－六三年には、この手術は幼稚な方法で行われた——ただ皮膚を切り取って、はしを引っぱって縫い合わせる。こういう方法で三回手術を受けた一人の囚人を知っている。一回目はひたいから、こんな場合としてはありふれた落書き「フルシチョフのどれい」のところを切り取られ、皮膚が引っぱられて、粗く縫い合わされた。傷が癒着したとき、彼はふたたびひたいに、「ソ連のどれい」と刺青した。また病院に入れられ、また手術を受けた。彼のひたいの皮膚はぎりぎりにひっぱられたので、彼は目を閉じることができなかった。わたしたちは彼を、「いつも見ている男」と名づけた▼60［…］。

処罰として口枷《くちかせ》をかけられているうちに口が変形し「いつも笑っている」ようにみえる奴隷たちのあらわれるトニ・モリスンの『ビラヴド』をほうふつとさせないだろうか。

しかし、その肉体的変形をもたらす力のベクトルはおなじではない。クラストルのこのテキストを国家が社会に「抗して」行使する権力のベクトルで読むならば、囚人たちは、国家ではなく、みずから法を肉体に入れ墨として刻み込むよう余儀なくされているようにも響く。社会に抗する国家はみずからの手を汚さずとも自動的に作動してしまうほど、かくも倒錯は完璧

58——ibid., p.153.（一二二頁）

59——マルチェンコ、『現代ロシヤ抵抗文書8 わたしの供述』、梶浦智吉訳、勁草書房、一九七三年、六三頁。

60——同右、九四頁。

である、と。しかし、マルチェンコのテキストに直接あたるならば、その印象は変更を迫られる。なるほど、「共産党のどれい」というエクリチュールは、実質的に「おまえはわが党の奴隷である」という法を刻み込んでいるではないか、といえるのかもしれない。しかし、厳密にいえば、それは法としては沈黙した法であり、あるいは、法によって覆い隠される法である。そもそも、労働者国家、すなわち労働者が支配のくびきから解放され主役となっているはずの社会で、「どれい」が存在するはずがないではないか！　ある意味で、そこでは肉体を法の刻印される平面ではなく、権力とその法のおよばない最後の自由の平面とみなすやりかたであるともいえまいか。つまり、ここで入れ墨は、法を肉体に刻印する国家機械の作用ではなく、国家機械の及ばない自由を表現しているともいえまいか。

　ここに過大な意味をみいだすのもさして意味がないかもしれない。しかし、ここには先ほど述べたアバンスールにみいだすことのできる「トラブル」、コペルニクス的転回をわたしたちが引き受けるさいのむずかしさ、すなわち「国家のある社会」のなかにあって「国家に抗する」とはなにかを認識する困難がみいだせるようにおもうのだ。

断絶のパッション

——ラ・ボエシとクラストル

もうひとつ、アバンスールとの交錯する地点として、本インタビューでも名前のあがる、エティエンヌ・ラ・ボエシ——アバンスールが、モンテスキュー、ルソーと並べて「対抗思潮」に属する一人とみなしていた——にふれておかねばならない。本インタビューでも「未開社会における戦争は、なによりもまず、〈一なるもの〉[l'Un]を阻止する方法なのです。〈一なるもの〉とはなによりも統合、つまり国家です」という一節がみられるが[↓62頁]、このl'Un、一なるものは、ラ・ボエシに由来するものである（「一者」とも訳される）。

クラストルが、アバンスールによるラ・ボエシ『自発的隷従論』の新編集版に「自由、災厄、名づけえぬもの」というラ・ボエシ論を発表していることはふれた[↓127頁]。ここからもわかるように、クラストルにとってもアバンスールにとっても、ラ・ボエシは重要な意味をもつ思想家である。クラストルはこういっている。

エティエンヌ・ド・ラ・ボエシの思想ほど自由なものにはそうそうお目にかかれるもの

ではない。まだ思春期の若者の決意のきわだった堅固さ、思想界のランボーといってもいいのではないだろうか[61]？

ここでランボーという名が重ねられるのは伊達ではない。ラ・ボエシは、一五三〇年にフランスの小さな都市で生まれ、若くして法学を学び、ルネサンスのこの時代の人文主義に親しみ、一五五四年にボルドー高等法院に評定官として着任するが、一五六三年に若くして亡くなっている。かれを有名にしたのは、三歳年下のモンテーニュが『エセー』に書き留めたその熱い友情であり、なんといっても、モンテーニュの尽力で世にでたこの時限爆弾的テキスト、題して『自発的隷従論』である。モンテーニュの発言から、この執筆時、ラ・ボエシは十六歳とか十八歳とされてきたが、現代の研究ではその設定は早すぎるらしい。いずれにしてもかれが、若くして「近代思想を開始した」ともされるこの転覆的テキストを書いたことには、まちがいない。早世と早熟、そして転覆性、これらの点でランボーに重ねられるわけだ。

この小さなテキストが記憶されてきたのは、ひとつにはアナキズムの文脈で愛され読まれてきたことにある。アナキストに愛されてきたのは、わたしたちは自然状態において自由であること、権力あるなにか——これを〈一なるもの〉ないし〈一者〉とラ・ボエシは要約している——にわたしたちが隷従するとしても、それは偶発的なもの（「災厄」）であるということ、そして、〈一者〉が揺るぎなくわたしたちを圧迫しているようにみえても、それはわたしたちの服従の意志が支えているのであり、その意志を撤回さえすれば（要するに服従をやめさえすれば）その支配も消えるとしたところ、要するに、その自由を根源的に希求する精神性と意志の力能にかかわる大胆な発想にあった。

［…］一体いかなる災厄が、ひとり真に自由に生きるために生まれてきた人間を、かくも自然の状態から遠ざけ、存在の原初の記憶と、その原初のありかたを取りもどそうという欲望を、人間から失わせてしまったのだろう。

そして、

あなたがたは、わざわざそれから逃れようと努めずとも、ただ逃れたいと望むだけで、逃れることができるのだ。もう隷従はしないと決意せよ。するとあなたがたは自由の身だ。敵を突き飛ばせとか、振り落とせといいたいのではない。ただこれ以上支えずにおけばよい。そうすればそいつがいまに、土台を奪われた虚像のごとく、みずからの重み

61――Clastres, *Recherches d'anthropologie politique*, p.111.（『政治人類学研究』、一二三頁）。なお、クラストルのラ・ボエシ論については、ラ・ボエシ『自発的隷従論』（ちくま学芸文庫）所収の山上浩嗣訳のヴァージョンも参考にしている。

によって崩落し、破滅するのがみられるだろう[62]。

この「災厄」と「意志による霧消」の二点がポイントである。

ホッブズの『リヴァイアサン』と出発点は似ている。「人間はもともと自由を愛し、他人を支配することを好む。にもかかわらず、見てのとおり、国家のなかで暮らすにあたって束縛をこうむっている。人間がそのような束縛をわざわざ受け入れる動機や目的、意図はどこにあるのか」。ホッブズの答えは、自己保存だった。なぜそうなるかというと、人間は自由にまかせておけば血で血を洗う「万人の万人による戦争状態」と化すというヴィジョンが、ホッブズにはあるからだ。ラ・ボエシは、そう考えない。なにかそこには、不自然なものがあるからだ。要するに、ホッブズの場合は、一者への服従は内発的で必然的、そして安全の確保という意味でいわば恩寵である。ラ・ボエシの場合は、外在的で偶有的、かつ災厄である。

あとでまた立ち返る議論を先取りして述べておくと、ここには自然状態についての発想の断絶がある。ホッブズはそこに個々バラバラの欲望する個人をみた。それに対しラ・ボエシは、こう考える。

この自然という良母は、われわれみなに地上を住みかとして与え、いわば同じ家に住まわせたのだし、みなの姿を同じ型にもとづいて作ることで、いわば、ひとりひとりが互いの姿を映しだし、相手のなかに自分を認めることができるようにしてくれた。みなに声とことばという大きな贈り物を授けることで、互いにもっとふれあい、兄弟のように親しみあうようにし、自分の考えを互いに言明しあうことを通じて、意志が通いあうようにしてくれた。どうにかして、われわれの協力と交流の結び目を強くしめつけようとしてくれた。われわれが個々別々の存在であるよりも、みなでひとつの存在［tous uns］であってほしいという希望を、なにかにつけて示してくれた。これらのことから、われわれが自然の状態において自由であることは疑いえない。われわれはみな仲間なのだから。そしてまた、みなを仲間とした自然が、だれかを隷従の地位に定めたなどという考えが、だれの頭のなかにも生じてはならないのである。[63]［強調は引用者］

このように自然状態のヴィジョンがホッブズとラ・ボエシではまったく異なるのである。

さて、ラ・ボエシのこのようなヴィジョンを前提とすれば、おのずと問いはこうなる。なぜ、

62 —— Etienne de La Boétie, *Le discours de la servitude volontaire*, Éditions Payot & Rivages, 2002.（エティエンヌ・ド・ラ・ボエシ、『自発的隷従論』、山上浩嗣訳、ちくま学芸文庫、二〇一三年、二四頁）

63 —— *ibid.*, p.142.（『自発的隷従論』、二六－七頁）

そのように自由の身で生まれついた人間が、隷従に甘んじてしまうのか。そればかりか、ひとはなぜ隷従をみずから意志しているようにみえるのか。

ラ・ボエシはおおよそこの隷従の過程をこう考えていた。まず、最初は力によって強制されたり、打ち負かされたりして隷従を強いられる。ところが、それ以降にあらわれる人々は、屈託もなく隷従し、かつては強制されてなしていたこともすすんでおこなうようになる。そうして、隷従状態を、それ以外の状態のありうることも考えられないまま、それこそが自然な状態であると考えてしまう。

それではなぜ、こうなってしまうのだろう。ラ・ボエシの与えた説明によれば、第一の原因は「習慣」だった。自然に比較して習慣は強いのだ（「自然がわれわれのうちにまく善の種子は、あまりにも小さくて滑っていきやすいので、それに逆らう教育がほんの少しでもぶつかると、もちこたえることができない」）。▼64 さらに、隷従が習い性になるとそれは臆病を生む。そして臆病がさらなる隷従をよびこむ。それゆえ、隷従をもたらす原因の二つ目は臆病とされる。こうした要因が、人間の本性を変成させ、「脱自然化」にみちびいてしまう、というのである。

クラストルの関心は、以下におかれた。このような隷従の原因ではなく、ラ・ボエシいうところの〈一なるもの〉ないし〈一者〉に隷従する社会が、人類学のいう「分割した社会」であること、つまり支配者と被支配者に分化した社会のことであること。分割せざる社会と分割した社会のあいだの決定的断絶に、隷従のすべての重量をおくこと。ルソーのようにそうした分割のない自然状態を事実ではないとせずに、「災厄以前の社会」は事実の問題としてつねに「知られていること」。これである。人類学が「災厄以前の社会」をすでに「知っている」のとおなじく、ラ・ボエシもそれを「知っている」。なぜかというと、ラ・ボエシはその自然状態の実在を「新世界」の先住民社会の情報からすでにえていただろうからである。

これはどういうことだろうか。自由な存在である人間でなくなることをみずから選びとる脱自然化した人間は、それでもなお人間といえるだろうか。だが、脱自然化しながらも、みずから疎外を選ぶがゆえに、自由なる存在——これこそが人間の新たな相貌なのだ。奇妙な結論、創造もできない理屈、名づけようもない現実である。災厄がもたらした脱自然化によって、新たな人間が誕生した。自由への意志が隷従への意志へと変化しているような新たな人間である。新たな人間が意志を喪失したというのではない。意志を隷従へと向け変えたのだ。[65]

ラ・ボエシはまさに、ここではニーチェの先駆者のようにみえる。

64 —— *ibid.*（三六頁）

65 —— Clastres, *Recherches d'anthropologie politique*, p.117.（『政治人類学研究』、一〇三頁）

しかし、どうしてこんなことが起きるのか。この問いは、本インタビューでもくり返されている。

したがって、国家のない社会ないし国家に抗する社会について語ることは、国家のある社会について語ることでもあるわけですが、必然的に予見しうる筋道をたどるごとき移行は存在しないということになります。この移行に由来する問いがあります。つまり、国家はどこからやってきたのか、国家の起源とはどのようなものか、といった問いです。しかし、そこには二つのまったく異なる問いがひそんでいるのです。つまり、

——未開社会はどのようにして国家をもたぬように努めていたのか？

——国家はどこからやってきたのか？

という二つの問いです。〔↓30頁〕

ここはラ・ボエシとクラストルの交錯にかかわる重要なポイントである。クラストルは本インタビューでもそうだが、この後者の問い、国家の起源にかんする問いについては、おおよそつねにわからないと述べている。ラ・ボエシ論においても、例外ではない。それに対し、現代

の民族学の提起できる第三の問いがある。それは、いかにその「災厄」を未開社会が回避したか、という問いである。これは右にあげた、「未開社会はどのようにして国家をもたぬように努めていたのか？」という問いにほかならない。クラストルの応答はもうわかるだろう。首長や戦争を焦点としながら国家に抗してめぐらされたあの諸装置の力学にほかならない。

「このうえなく自由である」ラ・ボエシにクラストルがみたのは、「自由から隷従への移行は、必然性のない」とする主張、「命令するものと服従するものに社会がわかれたことは偶発的なものである」とする主張だった。「ここで指し示されているものこそ、まさに〈歴史〉が誕生する歴史的な瞬間であり、決して出現すべきではなかった致命的な断絶であり、われわれ近代人が異口同音に国家の誕生と呼ぶ不合理な出来事なのである」。この「致命的な断絶」こそ、ラ・ボエシのいう「災厄」である。クラストルのラ・ボエシ論のキーワードはこの「災厄」である。malencontre――すなわち、「悪しき遭遇」なのだ。

> 自由を失うことで、人間はその人間性を失う。人間存在であること、それは自由であることであり、人間は、対－自由存在［自由－に－向かっての－存在 être-pour-la-liberté］なのである。結果として、なんという災厄であろうか、人間にその存在を諦《あきら》めさせ、しかもこの諦念の永続を望ませるよう仕向けるとは！▼66

おもうに、このラ・ボエシ論をクラストルのそれ以外のテキストからきわだたせている点は、「断絶」、つまり国家に抗する社会と国家のある社会とのあいだの断絶を、「悪しき遭遇」というかたちで徹底した点にある。つまり、その「断絶」は現在の知識によってはたんにわからない、という以上のニュアンスがある。なぜなら、説明してしまえば、断絶は「必然」に変わるからである。「どこから国家は現出するのか？　それは、不合理なものの理由を問うことであり、偶然性を必然性に還元しようとすることであり、要するに、災厄をないことにしようとすることである▼[67]」。この必然への転換を阻止するため、災厄の原因は謎のままにとどめなければならない。アバンスールの証言によれば、クラストルの演習には——まるで目に浮かぶようだが——しばしば国家の発生の原因について、自己流のアイデアを披瀝する参加者があらわれたらしい。クラストルはその発言をユーモアたっぷりに書き留め（るふりをし）、またあたらしいアイデアをおもいついたら教えてね、と返したそうである▼[68]。

それはともかく、この断絶はあまりに深く、あまりに徹底しているので、不回帰点にまで上昇する。

> 事実、歴史と民族学は、ふたたび国家のない社会、未開社会になった国家のある社会の例を一例たりとも提供していないのだ。反対に、そこにはひとたび越えれば引き返せない一線があったのであり、そのような移行がただ一つの方向、非-国家から国家への方

向でしかなく、反対の方向では決してなかったようにみえる。空間と時間、すなわちしかじかの文化領域やわれわれの歴史のしかじかの時期が、巨大な国家装置が手を貸す退廃や退化のたえまない光景を提供している。国家は当然崩壊しうるし、こちらでは封建領主制に分裂し、あちらでは地方首長制に分割されることはあっても、決して権力関係を廃することはないし、決して社会の本質的な分割を消滅させることはなく、決して国家以前の時に戻ることはない。国家の力は、抗しがたく、打倒されても決して消えてなくならない、いつでも最後は再確認におわる。たとえ、ローマ帝国没落後の西洋であれ、あるいは、あまたの国家が、現れては消えた千年の地であり、その最後の姿がインカ帝国であった、南アメリカのアンデス地域においても同様である。[69]（強調は引用者）

クラストルの「断絶」のパッションはかくも強力であり、そしてそれがかれの社会認識にかくも強力に影を落としているのである。

66 —— Clastres, *Recherches*, p.113.（一一五頁）
67 —— *ibid.*, p.116.（一一九頁）
68 —— Miguel Abensour, *La communauté politique des « tous uns »*, p.77.
69 —— Clastres, *Recherches*, p.118-119.（『政治人類学研究』、一三二‐三頁）

未開と野蛮

――「原国家仮説」について

こうして、ひとつの疑念が向けられる。クラストルは、たしかに進化論をあるレベルでは完膚なきまでにしりぞけている。ところが別のレベルでは、祓《はら》い除《の》けたはずの当の進化論を、ふたたび導入してしまっているのではないか。なるほどクラストルは、未熟な未開から文明としての国家へという、それまでの目的論的進化論は粉砕したかもしれない。しかし、それでもそこには断絶をはさんでの「進化論」が残存しているのではないか。なんらかの時点、なんらかの理由で――たとえ、その理由は必然的根拠を欠いているとしても――国家が生成し、しかもその飛躍が反転不可能であるとしたら、「国家に抗する社会」から「国家のある社会」へ向かう軌道の定まった移行の存在が想定されてはいないだろうか。

この論点は、先ほどの「ロトチェンコ」をめぐる微細なズレという論点とつながってくる。クラストルのテキストを読むならば、収容所で囚人がみずからの肉体に刻み込む入れ墨は、あたかも権力の自動機械のようにみえた（まさに「自発的隷従」を自動機械化したようにもみえないだろうか）。ところが、ロトチェンコ自身のテキストを読むならば、みずからの肉体に入れ墨を刻む行為は、虜囚《りょしゅう》たちに残されたギリギリの抵抗であることがみえてくる。いまの文脈で再定式化するならば、国家のある社会への「断絶」をへて「自発的隷従」（の強度）以外の諸可能性が蒸発したなかにロトチェンコの記述も位置づけられ、カフカの機械と重ね合わせられているのだ。このズレは、それをもって社会の変質が不可逆に起こるほど「断絶」が深いため、断絶以降において「抗する」契機の位置づけがほとんど不可能になっている事態を表現してはいまいか。

実は、このような批判をクラストルに向けたのは、ほかならぬジル・ドゥルーズとフェリックス・ガタリであった。

クラストルの思考を人類学の領域を超えて普及させたのは、とくに日本語圏では「社会主義か野蛮か」グループであるよりはドゥルーズ＋ガタリであるだろう。かれらはすでに『グアヤキ年代記』と同年公刊の著作『アンチ・オイディプス』において、社会・歴史認識という点で、クラストルにきわめて大きな影響を受けていた。クラストルの『国家に抗する社会』の公刊は一九七四年であるが、再確認するまでもなく、この著作はそれまでに公刊されてきた作業の集積であり、『国家に抗する社会』のなかには、その十年あまりの幅をもつ相互関係のなかで、かれらからクラストルへの逆影響もみられる。そして、クラストル死後に公刊された『アンチ・オイディプス』につづく『資本主義と分裂症』第二巻にあたる『千のプラトー』（原著一九八〇年）では、クラストルへの決定的なオマージュが展開される。第12章「遊牧論あるいは戦争機械」のなかの「問題1　国家装置（および集団におけるその等価物）の形成を妨げる手段はあるか？　命題2　戦争機械の外部性は同様に民族学によって確証される（今は亡きピエール・クラストルを讃えて）」である。そこでクラストルの最晩年の戦争にかんする議論が導入され、「戦争機械」という概念の形成につながるのである。それにもかかわらず（そしてドゥルーズ＋ガタリの社会認識全般に対する強力なクラストルの影響にもかかわらず）、実はそこではクラストルはかなりその核心に接近した部分を批判されるのだ。

> 国家は、生産諸力の発展によっても政治的諸力の分化によっても説明できないように、戦争の結果としても説明できない。ここからピエール・クラストルは、国家に抗する社会、すなわち未開社会と、かれが怪物的と呼ぶ国家のある社会のあいだの裂け目を深く掘り下げていくことになるのだが、その結果、なぜ国家のある社会が形成されえたのか理解しがたくなってしまったのだ。クラストルはラ・ボエシ流の「自発的隷従」の問題に取り憑かれている――意志せざる戦争の不幸な結果として生まれたものではないはずの隷従を、人々はどうして意志ないし欲望したのか？　かれらは国家の形成を妨げるメカニズムをもっていたのに、いったいなぜ、いかにして国家は形成されたのか？　なぜ国家は勝利したのか？　ピエール・クラストルはこの問題を掘り下げすぎて、解決する手立てを失ってしまったようにおもわれる。▼[70]（強調は引用者）

「ラ・ボエシ流の問題」――それをクラストルは掘り下げすぎて解決不能のデッドエンドに追い込まれたというのだ。このデッドエンドをかれらは「すべてか無か」のジレンマと表現する。

> 国家の法は、すべてか無か（国家のある社会か国家に抗する社会か）のそれではなく、内部と外部の法である。[71] [La loi de l'Etat n'est n pas celle du Tout ou du Rien(societe a Etat ou societies contre l'Etat), mais celle de l'interieur et de l'exterieur]」

国家の法は、すべてか無かではなく、内部と外部である――ここが批判の核心である。これに激しく反発したのが、ほかならぬアバンスールであった。

前代未聞の盲目と混乱による拒絶である。どうして「国家に抗する」を「国家の不在」、つまり無へと還元できるのだろうか？　まさにあたらしい政治人類学の創造性は、古典

70――Gilles Deleuze et Félix Guattari, 1980, *Mille plateaux: Capitalisme et schizophrénie*, Editions de Minuit, pp.443-444.（ジル・ドゥルーズ、フェリックス・ガタリ、『千のプラトー――資本主義と分裂症』、宇野邦一、小沢秋広、田中敏彦、豊崎光一、宮林寛、守中高明訳、河出文庫、下巻二八－二九頁）

71――*ibid.*（三〇頁）

的民族学がまさに――それは乗り越えがたい弱点である――無しかみない場所に、「国家に抗する」の諸装置あるいは仕組みの集合体をみきわめることができるところにあったのではないのか？[72]

しかし、この「無しかみない」という論難はいささか無理がある。というのも、ドゥルーズ＋ガタリの批判はこうつづくからである。

> かれには未開社会をひとつの自足した実態とみなす傾向があった（この点をかれは非常に強調していた）。形式的外部性をかれは現実的独立性とみなしていたのである。この点でかれは進化論者にとどまっており、ひとつの自然状態を想定していたのだ。ただかれによれば、この自然状態は純粋な観念ではなく、十全に社会的な現実であったし、またこの進化は発展ではなく突然変異なのであった。その理由は、一方では、国家は一挙に完成した姿で出現したからであり、他方では、国家に抗する社会は国家をしりぞけその出現を妨げる明確なメカニズムをそなえているからであった。これら二つの命題は正しいが、それらの連関が欠けているとわれわれは考える。[73]（強調は引用者）

「無」というのは国家（的なもの）の無であり、その社会が機構をそなえていることは前提である。ここで「形式的外部性を現実的独立性とみなしていた」という論点は重要である。先ほどみたように、クラストル＋アバンスールのラインが、未開社会の「自律的全体性」と「同質的単一性」を強調していたのはあきらかである。ここが先ほどから述べている、アバンスールの「トラブル」と直接にかかわっているようにおもわれる。ドゥルーズ＋ガタリにおいて問われているのは、「無かすべてか」というよりは、国家の登場を阻止している諸機構と国家の一挙なる出現との関連である。少し先取りしていえば、まさにこのクラストルのアポリアこそ、原国家概念や戦争機械概念などの展開を生成させるいわば理論的母胎である。

先ほど、サン＝ジュスト論におけるドゥルーズの影響はふれたが、実はミゲル・アバンスールはドゥルーズの弟子でもあって、かれの学位論文を最終的に指導したのはドゥルーズである。それもあってアバンスールとドゥルーズとの関係はアンビヴァレントで、たとえば『カイエ・ピエール・クラストル』では「クラストルとわたしたち」というタイトルの基調文を書き、そのなかでドゥルーズのひそみにならっている（有名なドゥルーズの「スピノザとわたしたち」というテキストである）と公言している。

しかし、クラストルをめぐってアバンスールは、ドゥルーズとガタリの解釈を受け入れな

72―― Miguel Abensour, Lire Pierre Clastres à la lumière de Nietzsche?, in Anne Kupiec et Miguel Abensour (dir.), *Cahier Pierre Clastres*, Sens & Tonka, 2011, p.267.

73―― *Mille plateaux*, p.444.（『千のプラトー』、下巻二九頁）

かった。

くり返しになるが、ここにはアバンスールの試みのはらむアポリア、断絶以降の「国家のある社会」のうちに「抗する」力学をどう位置づけるのかという難問、その力学の居場所をそもそもどのように特定できるのかという難問と響き合っている。

アバンスールは、ドゥルーズの議論に距離を感じはじめたのは、すでにラ・ボエシ流の問題をスピノザを介して正面から扱っているはずの『アンチ・オイディプス』の時点からであって、それをきっかけにドゥルーズにも距離をとりはじめたとふり返っている。

〔『アンチ・オイディプス』の原国家仮説は〕 ピエール・クラストルとは決定的に遠いのだが、コペルニクス的転回の究極の対立物であり、『千のプラトー』においてははっきりと拒絶されるのがこのコペルニクス的転回なのである。

あるいはインタビューにおいては、こういわれている。

『アンチ・オイディプス』にあらわれるひとつの定式をとりあげるなら、いわゆるアジア的生産にむすびつけられた「原国家」は、「すべての歴史の地平をなしている」というのです。おどろきです。▼74

先ほど、アバンスールのあげる「クラストル以後」の時代を画する七つのポイントとして、「すべての歴史の地平をなしていない」というものがあったが〔↓134頁〕、そこではこの『アンチ・オイディプス』の議論が意識されているのはあきらかだ。

『アンチ・オイディプス』公刊の時点で、クラストルに対するドゥルーズ＋ガタリの理論的負債を結晶させていたのがこの「原国家」仮説だったといえる。とはいえ、アバンスールの反発にもみられるように、この結晶化の過程は一直線のものではない。「原国家」概念についての、かれら自身によるかんたんな説明はこうなる。「国家は徐々に形成されたのではなくて、主人の出現によって完全武装して一挙に出現する。これが起源的な〈原国家〔*Urstaat*〕〉であり、あらゆる国家がそれであろうと願い欲するものの永遠のモデルである」。ということは国家とは文明を画するものでなければ、生産力の上昇と階級分裂のはてにあらわれるものでもない。それはあらゆる社会において（潜在的に）取り憑いて、あらわれるときは「一挙に」出現するというのである。

先に述べたようにアバンスールの拒絶はこの概念にまず向かうのだが、それゆえこの概念はクラストルから延長する二つの——アバンスールとドゥルーズ＋ガタリ——線を分岐させる転

74 —— Abensour, *La communauté politique des « tous uns »*, p.47.

轍機としてはたらいているといえる。したがって、ここでの対立点を検討するまえに原国家仮説なるものの理論的意義を最小でも確認しておかねばならない。

さらにそれには、歴史を複数の段階からなるとみる思考について、一定の前提を共有しておく必要がある。

時間を複数の局面の循環ではなく、なにがしかの進化という価値でもって線上に展開する歴史観が支配的なものとなったのは、やはり近代ヨーロッパにおいてである。それでも初期啓蒙において支配的であった、共和主義のもとでの徳と政体の循環、自然法思想のもとでの自然状態と国家状態の区分という発想のなかにあった時間のイメージが、生存様式にもとづく発展史観として最初に体系的に展開をみたのは、狩猟、牧畜、農業、商業の諸段階によって構成される「四段階説」と呼ばれるものにおいてであった（これもやはりヨーロッパ人がアメリカ・インディアンと遭遇したことが契機となっている）。▼75 さらに十九世紀になると、非西洋社会の観察のなかから人類を考察するあたらしい学問が生まれてくる。もちろん人類学であるが、その初期人類学は、生存様式ではなく婚姻・家族制度という視点から、その四段階理論にかわって「三段階理論」を提示した。すなわち、そこでは人類史は、基本的に savagery → barbarism → civilization の三つの局面を経由するものとして概念化される。

少しふれておくと、savage は、フランス語の sauvage から直接に由来しており、それをさらにさかのぼるとラテン語の salvāticus になる。これは「森」とか「野生」を意味している言葉で、文明は都市の生活を意味していたから、森に住む人間は「文明化されて」おらず、したがって「野性的」とされたわけだ。他方、barbarianはギリシア語のbarbarosに由来している。それは「異邦」であり「無知」を意味している。ギリシア人にとって、異人の言葉は「バルバルバル」といったナンセンスなノイズに聞こえた。それがこの言葉の起源である。

これをふまえるならば、savageryもそうだが、barbarianはよりはっきりと、文明との対比で定義されていた用語であることがわかる。

この三段階の理論を提唱したのは、ルイス・ヘンリー・モーガンである。モーガンは弁護士だったが、郷里の近隣に居住していたイロクォイ・インディアンの土地買収問題にインディアンの立場から献身し、その過程で関心をもつようになったインディアンの生活や文化への調査をおこない、かれらの養子にまでなったという異例の経歴のもちぬしである。モーガンの主著といえば『古代社会』[76]（原著一八七七年）になるが、そこでかれは、人間社会の発展をこの三つの段階に分類したのである。そして、このモーガンの議論が、エンゲルスの『家族・私有財産お

75―― Ronald L. Meek, *Social Science and the Ignoble Savage*, Cambridge U.P.,1976.（ロンルド・L・ミーク、『社会科学と高貴ならざる未開人――一八世紀ヨーロッパにおける四段階理論の出現』、田中秀夫監訳、村井路子、野原慎司訳、昭和堂、二〇一五年）をみよ。

76―― Lewis Henry Morgan, *Ancient Society*, 1877.（ルイス・ヘンリー・モーガン、『古代社会』上下巻、青山道夫訳、岩波文庫、一九六一年）

よび国家の起源』に流れ込み、さらにこの聖典的テキストを通して、人類史にかんするマルクス主義理論に多大なる影響を与えることになった。

savageryはふつう「未開」と訳される。barbarianはふつう「野蛮」と訳される。civilizationは、いうまでもなく「文明」である。これらの段階はさらに三段階に分けられるが、アメリカのインディアン社会は上位の「野蛮」すなわちbarbarian段階にあたる。翻訳ではよくあることだが、まさにモーガンからエンゲルスのラインで定着した訳語では、ここでいう野蛮は「未開」、未開は「野蛮」と慣習的にされている。まさにsavagery → barbarianという過程が、モーガン＋エンゲルスでは野蛮↓未開、人類学では未開↓野蛮と反転しているわけで、これがこの語彙をめぐる思考の圏域の系譜や影響関係、あるいは問題設定をわかりにくくしている。

それはともかく、それではこのような歴史の段階とともに、エンゲルスは国家の発生をどのように位置づけていたのだろうか。まず生産力の発展がある、その生産力の発展が私有財産と父権制家族を発生させ、強化させる。それによって階級分解が生まれ、それを抑制するために国家が生まれる。

国家はけっして外部から社会におしつけられた権力ではない。同様にそれは、ヘーゲルの主張するように、「人倫的理念の現実性」でも「理性の形象および現実性」でもない。それはむしろ、特定の発展段階における社会の産物である。それは、この社会が自己自身との解決しがたい矛盾にまきこまれ、みずからはらいのける力のない、和解しがたい対立に分裂したことの告白である。ところで、これらの対立が、すなわち相争う経済的利害をもつ諸階級が、自己と社会とを無益な闘争のうちに消耗させないためには、この衝突を緩和し、これを「秩序」のわく内にたもつべき、外見上社会の上に立つ権力が必要となった。そして、社会から生れながら、しかも社会の上に立ち、社会からみずからをますます疎外してゆくこの権力が、国家である［…］。国家は階級対立を抑制しておく必要から生まれたものであるから、だが同時にこれらの階級の衝突のただなかで生まれたものであるから、それは、通例、最も勢力のある、経済的に支配する階級の国家である。この階級は、国家を用具として政治的にも支配する階級となり、こうして被抑圧階級を抑圧し搾取するための新しい手段を手にいれる。[77]

このエンゲルスの議論を、のちにレーニンが『国家と革命』において情熱をもって引用し簡潔に定式にしてみせた。[78]こうしていわゆる「国家の道具主義的理解」がマルクス主義において支配的となる。

77――フリードリッヒ・エンゲルス、「家族、私有財産および国家の起源」、『マルクス＝エンゲルス全集 第21巻』、――村田陽一訳、大月書店、一九七一年、一六九頁、一七〇－一七一頁。

ドゥルーズ＋ガタリの『アンチ・オイディプス』が採用しているのは、このsauvages, barbares, civilisésの三段階論であって、ここに変種の「モーガン＋エンゲルス主義」をみてとることもできないわけではない。日本語訳（河出文庫版）では、現在の主要な用法にならって「未開人」、「野蛮人」、「文明人」という用語があてられている。本論での文脈からも、また日本語のニュアンスからもこれがベストだとおもうので、これにならいたいのだが、とはいえ、先ほど述べた（未開と野蛮の逆転の）事情から、かれらの議論がこの系譜上にあること、そしてこの系譜上でなにを継承しなにを転覆しようとしたのか（要するに、ドゥルーズ＋ガタリの「モーガン＋エンゲルス主義」、というか、モーガンからエンゲルスにつらなる史的唯物論の系譜上に身をおきながら、それを再定式化するという意図）がみえにくくなっていることに注意すべきである。

このドゥルーズたちの三段階論は、その図式の核心であるはずの進化論的要素のない段階論という不思議なものである。そのさい、クラストルの「国家に抗する社会」がインスピレーションの主要な源泉であったことはまちがいないとおもわれる。この二つの思考の結び目について、『アンチ・オイディプス』をめぐる座談会にてクラストル自身が以下のように語っている。『アンチ・オイディプス』における段階論は、進化論的な歴史解釈への回帰なのだろうか？マルクスを超えてモーガンへの回帰なのだろうか？　そうではない、と。

マルクス主義は野蛮人にかんしてはなんとか作動してきた（アジア的生産様式）けれども、

> 未開人にかんしてはどう考えていいのかあつかいかねてきました。というのは、マルクス主義的な展望に立つと、野蛮（東洋的専制主義や封建制）から文明（資本主義）への移行は考えうるけれども、未開から野蛮への移行は考えがたいからです。テリトリー機械（未開社会）のなかには、そのあとにどんな社会が来るのかを予示するようなものはなにもありません。カーストもなければ、階級も、搾取もなく、労働さえも（労働が本質的に疎外されたものであるとすれば）ないのです。[79]（強調は引用者）

クラストルによれば、マルクス派の手に余る「未開から野蛮への移行」という問題に、『アンチ・オイディプス』は応答しているのであって、しかも、その応答はひとつの概念に集約されている。「原国家」概念である。

78――「国家は、階級対立の非和解性の産物であり、その現われである。国家は、階級対立が客観的に和解されえなくなっているところに、その時に、その限りで、発生する。逆にまた、国家の存在は、階級対立が和解されえないものであることを証明している」（ウラジーミル・レーニン、『国家と革命』、宇高基輔訳、岩波文庫、一九五七年、一七頁）。

79――Gilles Deleuze, *L'ie déserte et autres textes : textes et entretiens 1953-1974*, Éditions de Minuit, p.316-7.（ジル・ドゥルーズ、「ドゥルーズ＝ガタリが自著を語る」、『無人島 1969-1974』所収、杉村昌昭訳、河出書房新社、二〇〇三年）

しかも、そのかれらの応答は、『アンチ・オイディプス』のなかでも、もっとも力強くかつ厳密な発見だとおもわれます。それは「原国家」の理論のことです。／冷酷な怪物、悪夢として、国家はいたるところで同一の姿で、「つねに存在した」ということです。そうなのです。未開社会では、どんなに小さな遊動的狩猟民の集団のなかにおいても、国家は存在するのです。ただし、存在するのですが、それはたえず祓い除けられ、出現するのを妨げられるのです〔Il existe, mais il est sans cesse conjuré,on l'empéche sans cesse de se réaliser〕。未開社会というのは、首長が首長になることを妨げるために全努力を傾注する（しまいには虐殺にいたることもある）社会なのです。歴史が階級闘争の歴史である（もちろん階級がある社会）とするなら、階級のない社会の歴史は潜在する国家〔l'Etat latent〕に対するその社会の闘争の歴史であり、権力の流れをコード化するためのその社会の努力の歴史であるということができるのです。[80]

ここでクラストルは、とても重要なことをいっている。クラストルに向けられるひとつの典型的な問い、あるいは批判と関連しているからだ。その問いについて、リュック・ド・ウーシュが簡潔にまとめている。「その危険をいまだ経験したことのない形態の政治組織を、ある種の前未来にみずからをおくことで「未開」社会がこれに全力で抵抗するということ、これをどう考えればよいのか[81]」？　なぜクラストルの未開人たちは知りもしないもの（国家）を祓い除けることができるのか？　クラストルは、未開人は「予感」するというが、それはなんなのか？　マーシャル・サーリンズも、一九七〇年代において、クラストルのおかれた論争状況にふれながら、こう述べている。「［…］人々が前もって「直感」と「予感」によって、かれらが経験したことのない種類の政治形態の社会を拒否することができるという考え方[82]」には批判すべき点が多々ある、と。クラストルはいっぽうで、経験できないものを拒絶することができるというように述べているような場合もある。たとえば、「疎外を拒否するためには、まず疎外の経験が必要であると信じるのは愚か者のみである[83]」。これが一九七六年のテキスト（「暴力の考古学」）である。国家は存在する、それは潜在的次元で、「原国家」というかたちにおいてである、と主張したあとのことである。このふたつの主張をどうむすびつければよいのだろうか？　この潜在的とされる次元は「経験」とはかかわりがないのだろうか？

クラストルは右の引用文につづき、この「疎外の拒否」が社会のありようそのものに属して

80――*Ibid.*（同書）

81――Luc de Heusch, L'inversion de la dette (propos sur les royautés sacrées africaines), in Abensour (dir.), *L'esprit des lois sauvages. Pierre Clastres ou une nouvelle anthropologie politique*, 1987, p.41.

82――Marshall Sahlins, *Islands of History*, The University of Chicago Press, 1985, p.75.（マーシャル・サーリンズ、『歴史の島々』、山本真鳥訳、法政大学出版局、一九九三年、一〇一頁）

83――Clastres, *Recherches d'anthropologie politique*, p.206.（『政治人類学研究』、二二五頁）

いること、未分割にとどまろうとする断固たる意志の表現であることを強調している。そしてまた、「社会生活のどのような改変も、かれらにとっては自由の喪失によってしか表現されないこと」を「〈未開人〉はよく知っている」と断言しているのである。

クラストルがここで原国家論を肯定しているのは、「祓《はら》い除《の》け」の次元がなんらかの重要な問いとしてあるからのようにおもわれる（アバンスールにはここが稀薄なのだ）。「祓い除け」はクラストルにおいて、その初期からひんぱんにあらわれる概念である。未開社会が遠ざける国家的なもの、その遠ざける作用に対し、かれはconjurationないしそれよりも頻度は少ないがexorciseといった概念を用いている。これらが悪霊を祓う、厄《やく》を祓う、祈禱で追い払うといった呪術的ニュアンスをもっていることはいうまでもない。したがってこの言葉が用いられるとき、（「幻想的」次元において）呼びだして、そして祓うという過程が当然、意識されている。そのさい、この呪術的次元、すなわち、幻想的かつ妄想的次元、そしてその実在的効果に、ドゥルーズ＋ガタリは注目した。だからかれらは、クラストルの「（予感）祓い除け」という概念に手をくわえ「先取り＝祓い除け［anticipation-conjuration］」として練り上げることになる。そのさいの重要な一歩が原国家仮説だった。

それでは「原国家」概念とはどのようなものだろうか？　先ほどクラストルは「マルクス主義は野蛮人にかんしてはなんとか作動してきた（アジア的生産様式）」と述べているが、ここですでにアバンスールの側へ延びる亀裂が走っている。というのも原国家仮説は、この野蛮人にかんしてはうまく作動するはずの「アジア的生産様式」概念の、独特というかアクロバティクな展開ともいえるからだ。『アンチ・オイディプス』の原国家論に捧げられたセクションのある箇所では、このようにいわれている。

> 国家は徐々に形成されたのではなくて、主人の出現によって完全武装して一挙に出現する。これが起源的な〈原国家〉Urstaatであり、あらゆる国家がそれであろうと願い欲するものの永遠のモデルである。いわゆるアジア的生産は、それを表現する国家を、あるいは、この生産の客観的運動を構成する国家をともなっているが、一個の区別された形成［構成］体とはいえない。それは基盤的な形成［構成］体であり、あらゆる歴史の地平線をなしている。伝統的な歴史的諸形態に先立つ帝国機械のもろもろの形態の発見が、いたるところから報告されている。その帝国機械を特徴づけているのは、国家的所有、それにはめ込まれた共同体占有、そして集団的依存関係である。さらに「進化した」国家のそれぞれの形態は羊皮紙のようなものである。それは専制君主の碑文、ミケーネの写本を覆い隠している。おのおのの黒人やユダヤ人の下にはエジプト人が、ギリシア人の下にはミケーネ人が、ローマ人の下にはエトルリア人が存在している。▼84

アジア的生産はひとつの段階であることをやめ、「あらゆる歴史の地平線」へと抽象化され、昇格している。これが「原国家」なのである。

本文の註で少しふれているが［→35頁］、革命、それ以降のスターリニズムの席巻、そしてスターリンの失墜という二〇世紀史の展開のなかで翻弄されたのが「アジア的生産様式」概念をめぐる論争である。もともとこの概念が、その後のマルクス主義の知的伝統に混乱を巻き起こした理由は、それが原始共同体（国家なき社会）と古典古代的生産様式（国家のある社会）のはざまに位置し、エンゲルスの議論においては階級分解を条件とするはずの国家がそうではないかのように概念化されていたからである。つまりアジア的生産様式においては、アルカイックな共同体的生産――階級分解の不在のはずの――の上に（専制的）国家が「総括的統一体」としてそびえ立っているというふうに概念化されていたからである。▼85「大づかみにいって、アジア的、古代的、封建的および近代ブルジョア的生産様式が経済的社会構成のあいつぐ諸時期として表示されうる▼86」と、のちに「史的唯物論」ないし「唯物史観」の基礎となるマルクスのテキストのわずかの文言のなかに登場する「アジア的生産様式▼87」というこの概念が、その後の波乱を巻き起こした原因のひとつでもあった。そもそもおかしな表記である。それ以外は、古代、封建、近代ブルジョアと、あきらかに一般名詞によって表現されているのに、ここだけ地域の固有名になっている。これは普遍的な法則を示唆しているのか、それとも発展段階の地域的分岐を許容する多形性を含意しているのか。いずれにしても、底辺における（階級分解の不在である）諸共同体、専制国家、そして専制君主ないし国家による土地所有と民衆レベルの私的所有の不在。アジア的生産様式の概念には、これらの諸条件が強度の専制と収奪を可能にしているという含意があるのだ。[88] およそ「非エンゲルス的」なこの概念は、もともと一九二〇年代における中国革命の失敗をめぐる総括によってクローズアップされ、それからスターリン体制のもとで封じられ、スターリンの失脚などなどによって一九六〇年代に復活するのだが、実はドゥルーズ＋ガタリのテキストでしきりに登場するオリエンタル世界のイメージは、その多くがこの復活前後のアジア的生産様式をめぐる議論に由来している。なかでもクラストルとの交錯で注目すべきは、カール・ウィットフォーゲルである。

本インタビューで、クラストルがソヴィエト連邦についてふれながら、史的唯物論の常套句を反転させる――諸階級が国家を規定するのではなくその逆である――とき、そこで暗に

84―― Gilles Deleuze, Félix Guattari, *L'anti-Œdipe : Capitalisme et schizophrénie*, Les Editions de minuit, 1972, p.257.（ジル・ドゥルーズ、フェリックス・ガタリ、『アンチ・オイディプス――資本主義と分裂症』、宇野邦一訳、河出文庫、二〇〇六年、下巻一一‐一二頁）

85―― これは一九五八年の『要綱』における「資本制に先行する生産」において、アジア的所有として定式化された。

86―― カール・マルクス、「経済学批判」、『マルクス＝エンゲルス全集 第13巻』所収、杉本俊朗訳、大月書店、一九六四年、七頁。

87―― 実はそこでは「オリエンタル的」なのだが、その後の議論では「アジア的」と慣習的にされるようになった。

88―― これについては、『資本論草稿集2 一九五七‐五八年の経済学草稿2』（資本論草稿集翻訳委員会訳、一一七‐一二二頁）をみよ。

参照されているのはウィットフォーゲルの「オリエンタル・ディスポティズム論」である。「国家が諸階級を形成するという一見すると常軌を逸した《シュルレアル》主張をおこなうとき、これを裏づけるのは、インカ帝国やソヴィエト連邦のような、わたしたちのものとは完全に異なる世界なのです。たとえば、古代エジプトとかあるいはマルクスがアジア的専制と呼び別の人々が水力文明と呼んだ文化や社会の専門家であれば、わたしに同意してくれることでしょう」［→35頁］。ウィットフォーゲルのオリエンタル・ディスポティズム論[89]は、スターリニズムあるいはソヴィエト体制への批判のふくみをもっていたがゆえに、あるいは生産様式によって国家形態を規定する史的唯物論の正道を一八〇度転覆するものであるがゆえに[90]、正統マルクス派のなかでは異端であったが、ここでクラストルのこの言明はそのような政治的・理論的文脈のうちにある。ドゥルーズ＋ガタリは、「資本主義や社会主義といった現代の国家が、いかに起源的な専制的国家の性格を帯びているか」をあきらかにした人物として、ウィットフォーゲルを評価する。

　ドゥルーズ＋ガタリは、このアジア的専制国家のイメージを諸段階のひとつから抽出し、それを歴史の地平へと拡張させるほどの操作をほどこしながら基底的概念へと昇格させる。そして、この操作こそが、モーガンばりの三段階論からすべての進化論的公準の残滓をも一掃するエレメントなのである。

起源的な専制君主国家は、他と同じような切断をもたらすものではないからである。あらゆる制度の中で、おそらくこの国家という制度は、これを打ちたてる人々、つまり「青銅の眼差しをもった芸術家たち」の頭脳の中で完全武装して出現する唯一のものである。だから、マルクス主義は、これをどう扱ってよいのかまったくわからなかった。これは、あの有名な五段階、原始的共産主義、古代ポリス、封建制、資本主義、社会主義の中には入らないのだ。それは他のいくつかの組織体の中のひとつの組織体でもなければ、ひとつの組織体から他の組織体への過渡的段階でもない。この制度によって切断

89——Karl August Wittfogel, *Oriental Despotism: a Comparative Study of Total Power*, Yale University Press, 1957.（カール・A・ウィットフォーゲル、『オリエンタル・ディスポティズム——専制官僚国家の生成と崩壊』、湯浅赳男訳、新評論、一九九一年）。この著作とウィットフォーゲルをめぐる議論については、石井知章『K・A・ウィットフォーゲルの東洋的社会論』（社会評論社、二〇〇八年）、福本勝清『マルクス主義と水の理論——アジア的生産様式論の新しき視座』（社会評論社、二〇一六年）、湯浅赳男『「東洋的専制主義論」の今日性——還ってきたウィットフォーゲル』（新評論、二〇〇七年）などをみよ。

90——「官僚的権力装置の機能を明確化することで、アジア的生産様式の理解を刷新せんとするこの研究は、古典的マルクス主義の諸前提のあいだに緊張をもたらすことになった。結果として国家装置は、社会的労働の剰余生産物を領有する条件を外から保証する支配審級としてではなく、経済を直接に組織化し、また労働を社会化することで、剰余生産を可能にする生産諸関係を内から条件づけるひとつの力能とみなされることとなった」Guillaume Sibertin-Blanc, *Politique et État chez Deleuze et Guattari, Essai sur le matérialisme historico-machinique*, Presses universitaires de France, 2013.（ギヨーム・シベルタン=ブラン、『ドゥルーズ=ガタリにおける政治と国家——国家・戦争・資本主義』、上尾真道、堀千晶訳、書肆心水、二〇一八年、三六頁）。

されるもの、あるいは同定されるものに対して、この制度自身は遠のいたところに存在しているといってもいい。あたかも、この制度が別の次元のものであることの証拠であるかのように。それがもろもろの社会の実質的発展に付加された頭脳的理念性であるかのように。つまり、もろもろの部分や流れをひとつの全体に組織する規制的理念あるいは反省的原理（テロル）であるかのように。専制君主国家が切断するもの、すなわち高みから切断し超コード化するものとは、それ以前に到来するもの、つまり大地機械であり、専制君主国家は、この大地機械をブロックの状態へと、あるいは作業部品の状態に還元し、これらをそれ以後は頭脳的理念に従えるのである。この意味において、専制君主国家はまさに起源なのであるが、しかし抽象観念としての起源であって、これは当然ながら具体的な始まりとは異なるものである。▼[91]（強調は引用者）

以上のように、ドゥルーズ＋ガタリの議論は、独特の語彙法に支配されており、それにくわえてジャンル攪乱的である奔放な叙述法、そして強力な「ハイセオリー」への指向があいまって、そこにひそむのが重大な思考であっても、ジャーゴンの循環を超えて共有財産になりにくいうらみがある。また、一行一節に投入された、あまりに濃密なその含意のため、かかわりかたによっては、いたずらに時間をついやすことにもなる。したがって、ここでは関連するかぎりで論点をいくつかとりだすことですませたい。

1

国家という制度は、完全武装して一撃のもとにあらわれる。

この国家の一挙性と完全性を表現するとき、かれらはニーチェを参照しているが、わたしたちの文脈でいえば、これは国家が社会（「経済」ふくむ）のうちに芽をもたないこと、国家の起源を国家とは別の場所——階級分解など——に探ろうとしても無駄であることを示唆している。

2

「頭脳的理念」、すなわち抽象観念としての起源という意味での抽象性。

ドゥルーズ＋ガタリは別の場所で、原国家概念をフロイトの「原光景」概念になぞらえているが、フロイトにおいて「原光景」とは幻想でありながら人間の欲望を規制するという意味で実在性をもつものであった。そこからいうと、原国家とはやはり人々の欲望あるいは人々のふるまいを規制するあるいは調整する「理念」であり、それによって諸力が特定の力学で作動するという意味で実在性を有している。それは抽象的であるが、リアルな効果をもっている、すなわち実在的なのである。

また理念であるから、それは現実の諸装置に対してなにがしかのズレをもっている。それはすべてがコード化され、整理され、支配されている状態であり、ひとつの極を表現している。

91——*L'anti-Œdipe*, pp.258-9.（『アンチ・オイディプス』、下巻一四－五頁）

3

大地機械をブロック状に還元し、あらためて従属させる作用をすること。

先ほどみたクラストルの引用のなかに「権力の流れをコード化するためのその社会の努力」という一節があったが〔↓186頁〕、未開の諸社会の作動する平面をブロックのように還元する上からの力の作用が生まれるためには、これまでみてきたように権力の流れをあの手この手で「下から」コード化しようとする未開社会のそのコード化の試みが破綻する必要がある。そしてそれによって、それまで、たとえば戦争や他部族との関係、食料確保などによって活発に動いていた未開社会のテリトリー、必然的に質的性格をつねに帯びていた未開社会のテリトリーは、抽象化され、量化され、比較対照できる単位として区画化される。

基本的に、国家が形成されるためには、あるいは祓《はら》い除《の》けられていた「原国家」が実現してしまうためには、この脱コード化の契機が必須である。クラストルはそれには同意するというか、この議論自体がクラストルに影響を受けているといえるだろう。クラストルは、めったにおこなわなかった国家の誕生につながる要因を二つ、控えめにほのめかしているが、ともに「脱コード化」にかかわっている。ひとつは本インタビューでも指摘している人口動態である。「未開社会は、首長制〔la chefferie〕という器官を統御しているのです。しかし、未開社会がときに統御に困難をきたす流れがひとつあるようにおもわれます。それは人口の流れです」〔↓64

頁〕。かれは本インタビューで、現代世界の抱える人口爆発という問題にふれながら、「もしかすると、わたしは、こうした人口動態という指標にとらわれすぎているのかもしれません。ですが、人口問題に対する解決があるとは、わたしにはおもえないのです」と述べているが〔↓94頁〕、クラストルにとって人口問題はかくも重要な意味をもっていた（そしてそれは、インタビューでも強調されているように、国家の登場を阻止する条件としての小規模性の維持にかかわっていた）。そして、もうひとつは、予言者カライである。カライについては、あとでまた戻ってくるつもりなので、かんたんに。カライはトゥピ・グアラニ族の神話のすぐれた語り部であり、また危機的緊張にあったその社会、つまり首長の権力の質的変化——国家への——の端緒におかれた社会のなかにあって、その危機をこの世界の堕落とみなし、「悪なき大地」への脱出を呼びかけ、部族から部族を渡り歩き、トゥピ・グアラニ社会に熱狂を喚起していた予言者である。ところが、「歴史の巧知」とヘーゲルの用語を用いながらクラストルは自問する。まさにこの国家の兆候に反逆する予言者こそ、国家への道筋をつけるものではなかったか、と。すなわち、カライは親族のコードの破棄をうったえ（カライは性的対象の無差別を唱えた）、共同体から共同体を渡り歩き、それによって未開社会には不可能なことをなしとげた。つまり多様な諸部族をまとめあげた。この反転によって、かれには首長以上の権力が賦与《ふよ》されたのだ。「予言者の語りの内には、おそらく権力の語りが胚胎しており、人々の欲求を代弁する先導者の高揚した姿のなかに、専制君主〔Despote〕の形象が沈黙のうちに隠されているのかもしれない▼92」。つまり、カライは、首長の権力の肥大を阻止したが、共同体も親族ネットワークにも拘束されず、その破棄をすら唱えながら人々を糾合させることで、脱コード化の担い手であり、それゆえ国家をみずから内包させることになるのである。

さて、この仮説は、ある意味で、クラストルのアポリアを結晶させながら、ある種の回答を与えているが、さらにクラストルの戦争と未開社会の議論をトポロジカルに展開させたのが『千のプラトー』での「戦争機械」の議論である。

先ほどの引用に「「進化した」国家のそれぞれの形態は羊皮紙のようなものである。それは専制君主の碑文、ミケーネの写本を覆い隠している」とあるが〔→189頁〕、それは十九世紀後半から二〇世紀にかけての考古学の展開がマルクスたちも前提としていた歴史の想定を転覆していった過程を指している。たとえばギリシア文明をみるならば、モーガンは階級分解に先立つ「軍事的民主政」の段階としてホメロスの英雄文化の時代をあて、エンゲルスもそれに追随していた（また、このモーガンの議論の導入がエンゲルスにアジア的生産様式論の放棄を可能にした）。ところが、ミケーネ文明の発見によって、本来あとにやってくるはずの宮廷と王への権力集中からなる王政、ないしドゥルーズ＋ガタリでいえば「帝国」が発見される。このように階級分解以前、したがって国家形成以前とみなされた社会に先だって、階級的ヒエラルキーをはらんだ国家が次々と発見されていったのである。軍事的民主政の仮説は、それによって否定された。かれらはこのような考古学の発見を明示的にひきあいにだしながら『千のプラトー』では次のようにいっている。「ありとあらゆるシステムや国家が見え隠れする地平線上、しばしば忘却のヴェールに覆われたところで、アジアだけでなく、アフリカでも、アメリカでも、ギリシアでも、ローマでも、いたるところで考古学者はこのアジア的形成体を発見している。記憶の果ての〈原国家〉が、新石器時代以降、それどころかおそらくそれ以前から存在していた。[……]これら新石器時代の国家の起源は、これまでずっと止むことなく時間軸を遡らせられてきた。[……]ほとんど旧石器時代の帝国にまで想定される[93][……]」。シベルタン=ブランもいうように、ここで重要なのは、時間軸を遡ること自体ではなく――要するに始源を突き止められるかどうかはさして問題ではない――「ずっとやむことなく」の動態のほうである。つまり、それは事実上の起源ではなく、権利上での原国家の存在を示唆している[94]。要するに、現実に国家の起源をつきとめるレベルとは別に、国家のようなもの、さまざまな要素を分解=統合して上から人間と道具、自然の組み合わせを再配分するといった力の働きは、特定の時代、特定の生産、

92―― Clastres, *La société contre l'Etat*, p.186.(『国家に抗する社会』、二七一頁)

93―― Gilles Deleuze et Félix Guattari, 1980, *Mille plateaux: Capitalisme et schizophrénie*, Editions de Minuit, pp.532-535.(『千のプラトー』、下巻一六一―一六三頁)

技術の展開とは別に、どこまでも想定できるということである。それは〈理念〉だからである。しかしここで注目したいのは、このような遡行に、「すべてか無か」を「内部と外部」へと転位する動きがともなっている点である。

この発想は、ラ・ボエシ＋クラストルのみいだした「災厄」としての切断をめぐる理論的転位、すなわち時間軸上の陥没からトポス上の配分へ、と要約することもできよう。先ほどもあげたように、アバンスールの反発したポイントもここだった。「国家の法は、すべてか無か（国家のある社会か国家に抗する社会か）のそれではなく、内部と外部の法である」［↓175頁］。つまり、国家に抗する社会から国家のある社会を、切断をはらんだ時間軸上の展開とするのではなく、内部と外部というトポスに配分するのであり、あるいはこれを具体的平面で表現すれば地理的配分ということもできる。もちろん、ここでいわれる内部／外部というトポス上の表現は抽象的次元をふくんでおり、これを現実上のタームに還元することはできない。ドゥルーズたちの議論は、さらに複数の「力能形成体」の共存と競合、その線上の展開としての歴史といった複雑な議論をともなっているからなおさらである。とはいえ、イメージとしては最初にこの地理的配分として押さえておくとよいとおもう。時間のなかにおかれた切断を、内部と外部というトポロジカルな次元に転位させ、その外部と内部の閾に「抗する」力学をおくというものである。

この点でいうと、アジア的生産様式論にあらわれ、ウィットフォーゲルの水力社会論で現代化された専制国家が独特の位置をもつのは、認識において有利な面ももつ。地理的限界をもっているからである。先ほどの「内部と外部である」というテーゼの前後をふくめて引用すると次のようになる。

周辺部や十分に支配が及ばない地域において帝国と接触をもたなかったような未開社会は、ほとんど想像することができない。しかし、もっとも重要なのはその逆の仮説、すなわち国家自身が常に外との関係において存在してきたのであり、この関係を抜きにして国家を考えることはできない、という仮説である。国家を規定しているのは、すべてか無か［…］の法則ではなく、内部と外部の法則である。国家はなによりもまず主権であるが、主権が君臨しうるのは、主権が内部化することができるもの、また局所的に自己の所有となしうるものに対してだけである。あまねく存在する国家などありえない[95]［…］。

たとえば、フレーザーの『金枝篇』で紹介されたシルック族の王は、「神なる王」であったが、その法や慣習を破棄＝超越しうる全能の発揮といえば、みずからの現前する範囲に限定されて

94——Guillaume Sibertin-Blanc, *Politique et État chez Deleuze et Guattari, Essai sur le matérialisme historico-machinique*.（『ドゥルーズ＝ガタリにおける政治と国家——国家・戦争・資本主義』）

95——*Mille plateaux: Capitalisme et schizophrénie*, pp.443-444.（『千のプラトー』、下巻三〇頁）

いた。しかも、その現前する範囲はきわめて狭く設定されていたのである。そしてそこには、民衆の力が作用している。要するに、このような段階での王権すら、みずからの領土のうちにつねに周辺をもち、その外部との複雑な関係、とりわけ抗争をはらんでいるのである。

「自発的隷従論」再考

——権力と暴力をめぐるひとつの短い迂回

ここで少し迂回して、権力と暴力について、あらためて少し考えてみたい。なぜわたしたちは隷従を欲望してしまうのか、これはたしかに意義のある問いである。二〇世紀の経験（戦争、ファシズム、スターリニズム、消費社会など）が、こうした問いを切迫したのもまちがいない。常套句でいえば、大衆こそがナチズムを、そして日本でも大衆こそが「国体」と戦争を欲望したのであるから。ライヒやフランクフルト学派、ほかならぬドゥルーズ＋ガタリにいたるまで、ものごとを深刻に受け止めた人々ほど、こうした問いを発せずにはいられなかった。

本インタビューでも、クラストルはこのように典型的なラ・ボエシ的問いを発している。

底辺にかかわる問い、ピラミッドの底辺にかかわる問いはこうです。集団全体を恐怖でもって支配するために十分な力、十分な暴力の能力をそなえた一人の人間ないし集団が存在しないときでも、なぜひとは服従することに同意するのか？〔↓37頁〕

いっぽうで、アバンスールがいぶかるように『アンチ・オイディプス』ではこの問題を重視していたようにみえたドゥルーズ＋ガタリ自身が、『ミル・プラトー』では「ラ・ボエシ流の問題」として斥けている。というより、その問題に深入りしすぎることの罠を指摘している。

この問題について、解題者はここで、少しメモをしておきたい

1

服従ないし隷従を欲望するとは、どういうことだろうか。カリスマに熱狂する大衆、不服従者や異端をみずから駆りだし、血祭りにあげる大衆、奴隷主にみずから恭順し、心から忠誠を誓う奴隷などなど、イメージはさまざまに広がるだろう。先述したように、この問いが二〇世紀にあらためて問われたのには、その時代の経験が影を落としていることはまちがいない。

ここで「解釈労働」という次元を導入してみたいのだが、そうすると、この問いはもう少しちがったかたちで提起されることになるようにおもわれる。「解釈労働」とは、わたしたちが日常生活を暮らしていくうえで、つまり他者と接触しながら生きていくうえでつねにおこなっている、他者の動機や感覚、心の動きを解読する努力である。▼96「顔色をうかがう」という表現

はこの「解釈労働」を直接に表現しているし、「空気を読む」ということで示唆されているものの根底にもこの「解釈労働」があるといえる。問題は、この「解釈労働」は不均等に配分されているということである。つまり、「解釈労働」をたえず行使しなければならない人々もいれば、「解釈労働」をほとんどせずにすむ人々もいる。このような不均等な配分は、あきらかにヒエラルキーにおける上位／劣位の区分と重なっている。そして、この事態は日常的にさまざまなかたちで気づかれているし、かつ表現されている。たとえば、「男には女の気持ちはわからない」「妻は夫の浮気をすぐ見抜く」といった具合である。家来は殿様の必要を察知して草履を温めておくし、子どもは親や先生の不機嫌をすぐに察知する。それは奴隷が奴隷主の機嫌に過敏であるのとおなじである。家政婦は主人の家庭の事情を家庭の人間よりもよく観察し、事情に通じているし、舎弟は親分のいま欲しているものをふとした仕草から先回りして動く、などなど。もちろん、この解釈労働が逆に行使されることはきわめてまれである。奴隷主は奴隷の心の動きには無関心だし、夫は妻の日常の報告には関心がない。主人の家の人間は、家政婦の名前をなかなかおぼえない、などなど。このような「解釈労働」の非対称を可能にするのは、暴力である。ひとは暴力を行使できるとき、相手との交渉を省略できる。暴力を行使できる可能性を保持している側は、行使できない側の顔色をうかがう必要はない。つまり、このヒエラルキーの形成と維持にかかわる暴力は、そのまま「解釈労働」を省略できる能力なのである。問題は、わたしたちもよく知るように、この非対称が、しばしば愛情のようなものに転化することである。たとえば、それはわたしたちの社会の観察からすぐさまえられる。日本で「自発的隷従」ということを考えるにあたり、天皇制抜きにはありえない。メディアはつねに陛下の「お気持ち」をおもいやっている。自発的隷従論ということでしばしば喚起されるイメージは、大衆が指導者を欲望するというものである。しかし、わたしたちの社会では「お気持ち」を率先して解釈するのは知識人たちである。陛下はだれよりも国民をおもいやっている、陛下はだれよりも日本の現状を理解している、といった具合だ。もちろん、「陛下」がわたしたちの気持ちを考えている（というふりをする）時間と、わたしたちがかれらの「お気持ち」を推察している時間の量は比較にならない。さらにいえば、そのような非対称をまれに破るふるまいが、忠誠をさらに強固なものにする。たとえば親分が新入りの子分に腕時計を気まぐれにみせて与える（『仁義なき戦い』にそういうシーンがある）。親分はすぐにそんなことを忘れても、子分には一生忘れがたい、死を賭してまでの忠誠の理由となるのだ。

わたしたちの社会において、皇室の人物たちの「お気持ち」を推察するふるまいは典型的な解釈労働である。そしてそれは、ほとんど愛ともみえるような感情に転化している。ラ・ボエ

96——解釈労働についての議論は、David Graeber, *The Utopia of Rules:On Technology, Stupidity, and the Secret Joy of Bureaucracy*, Melville House, 2015.（デヴィッド・グレーバー、『官僚制のユートピア——テクノロジー・構造的愚かさ・リベラリズムの鉄則』、酒井隆史訳、以文社、二〇一八年）を参考にしている。

シは、先ほども述べたように［↓166頁］、自発的隷従の継続の原因を習慣と臆病に帰しているが、解釈労働という次元を介して把握し直してみると、服従の対象への解釈というかたちでの欲望が不断から喚起されていること、そしてそれがしばしば愛情へと転化していく契機が浮上してくる。

2

それでは、これをふまえて「自発的隷従」という視点のはらむ問題とはなにか。天皇の事例をつづけるならば、天皇への服従は以上のような自発的なもの、すなわち解釈労働を通して不断に喚起される愛情、すなわち「敬愛」へと転化していることがわかる。しかし、このような解釈労働の不均等は、そもそもヒエラルキーが生んでいるものである。そして、このヒエラルキーの存在は、ラ・ボエシにならうならば、やがて習慣と臆病によって支えられるにしても、発端においては暴力によってもたらされる。ラ・ボエシに、そして「自発的隷従論」に問題があるとすれば、このヒエラルキーを形成し維持する暴力はそれ以降もふつうに行使されていることである。たとえば、大衆のもつ天皇への「敬愛」はあまねく自明視されているが、それはマスコミにおける日常的な「解釈労働」はもちろんのこと、究極的には暴力によって包囲されている。つまり、天皇にまつわるものの公然たる批判は、それがしばしば暴力に見舞われることになるわけであり、そしてそのことをわたしたちはよく知っているのだ。さらにその暴力が、どのような残酷なテロルであろうと、さして厳しく問われないこと、それどころか支配的諸力によって陰に陽に支持されているようであることも知っている。たとえば右翼の街宣車は、拡声器を通したあの罵声、あの音楽の音量などを通して暴力を体現しているのであり、それ自体が天皇を包囲する暴力をつねにわたしたちに喚起させる装置としてある。わたしたちの「敬愛」とみえるものは、こうした言葉の正しい意味で、テロルへの恐怖の歪曲された表現であると、はたしてまったくいえないのだろうか？　たとえば、このように考えてみよう。もしこうした恒常的テロルの環境が消え、マスコミも敬語表現をやめ、その制度のありかた、その存在そのものの是非について闊達に議論できる雰囲気がつくられたとしよう。そのとき、このいまの「自発的隷従」がどこまで成立するか、決してはっきりとはわからないようにおもう。

つまり、自発的隷従についての問いが服従への自発的欲望とあまりにむすびつけられると、この暴力の契機が見失われるのではないか、ということだ。解釈労働が、被支配者による権力者への愛とみまがうばかりの現象をもたらすことはまちがいない。しかし、その解釈労働を強いるヒエラルキーは暴力と無縁に存在するわけではない。したがって、それは暴力か欲望かという問題ではない。つまり、大衆は抑圧されているのではなく欲望したのだという問いの立て方は、決してよい問いの立て方ではないのである。そして、自発的隷従論は、先ほどあげたように、そのイメージのなかに民衆の無知、民衆への不信という契機がしばしばむすびついている。

クラストルは本インタビューで、このように述べている。

ですから、なにか〔暴力による命令とは〕異なるなにかが存在するのです。服従への同意は、なにか別のものに由来している。それがなんであるのか、わたしに確たることはいえません。わたしは研究者ですから、探究しているのです。とはいえ、さしあたりいえることがあるとしたら、この問いは重要なものであるにしても、はっきりとした答えがあるわけではないということです。〔↓37－38頁〕

ここではこの問いへの応答としてひとつの手がかりを示唆してみた。おそらくそれは、暴力とは別のもの、ではなく、暴力と絡まり合ったなにかではないか、と問わねばならない、というのがここでの提起である。

ここで先ほどとりあげた「非強制的権力」と「強制的権力」という概念的ペアも検討してみよう。再度フーコーに立ち返るならば、フーコーも権力を暴力と切り離すよう提案していた。それでもフーコーにあっても、（たとえ程度がゆるい場合はあるにしても）権力には強制性がある。そうなると、「暴力なしの強制」といった契機が探られなければならなくなる。たしかに、わたしたちはふだん、おおよそ暴力なしに強制に服している。たとえば、職場がきわめて陰険で粗暴でいやな雰囲気である→仕事に行きたくない→しかし行かないとクビになる→そうすると食べていけなくなる↓しかたないので仕事に行く、いうようなかたちで生活条件が賭けられているようなとき、わたしたちは服従する。社会学などで「サンクション」と呼ばれる契機だが、しかし、そもそもなぜ仕事を失うと食べていけないのか。それには、お金がないと食べていけないという文脈があり、お金がなくてレジを通さないままやおらコンビニの弁当を食べはじめると国家権力に捕らえられ刑務所に入れられる、といったかたちで暴力の契機とむすびついているといえなくもない。たとえば、ひそかにドラえもんが自宅にやってきていて、かれが必要なものを無尽蔵にそのポケットから出してくれるならば、端的にいやな仕事はしなくてよい。あるいは、ドラえもん頼みでなくとも、自宅に山林がありそこで食料が確保できるならば、そこまでして仕事をしなくてよい。このような「やめられる」条件を断ち切るために、マルクスが論じたようなわたしたちを土地から切り離す原初の暴力があり、ふだんからわたしたちの環境にあふれている物資を所有権の法で包囲し、それを最終的には暴力で保証する仕組みがある。そのように考えるならば、直接にはあらわれないにしても、暴力とどこかでむすびつかない強制的契機が存在しうるだろうか。ひとが暴力の脅威とは別に、自発的に強制を欲望するとして、それをたとえば、真理への欲望などとすることでいいのだろうか。フーコーの権力論の「袋小路」も、このような「ラ・ボエシ的」問題とむすびついていないだろうか。権力が「支配」へと凝固するとき、なんらかのかたちで暴力が作動しているのではないだろうか。

暴力とは別の強制と「自発的隷従」とむすびつく契機は、フーコーにおいても、クラストルにおいても、不在というよりも少なくとも主題化はされていない。「ラ・ボエシ流」の問題は、おそらくこのむすびつきにおいてきわだつのである。とはいえ、ラ・ボエシとクラストルには、フーコーには不在の〈一なるもの〉を祓い除ける力学がある。ただし、クラストルの力点は、自然における自由への意志とそれが喪失される「断絶」に集中していて、自発的隷従にはさしてむいていない。

ところが、いっぽう、クラストルはこうも述べてもいる。

未開社会は、暴力こそ権力の本質であることを必然的に熟知している。権力と制度、命令権と首長とを互いに切り離しておくという配慮もそこから生まれてくる。言葉の場こそ、こうした分離を確かなものとし、境界線をひくものに他ならない。首長の活動を、言葉の領分すなわち暴力の対極の位置に封じこめること。それによって、部族社会は、あらゆるものを本来の場に留め、権力の軸が社会体そのものに依存し、力の移動によって社会秩序がひっくり返らぬよう保証しているのだ。首長に課された言葉の義務、彼が部族に対して負っているこの空虚な言葉の不断の流れ、これこそ際限のない負債であり、言葉の人が権力者になることを妨げる保証ともなっているものなのだ。[97]（強調は引用者）

おそらく頻度としては、本インタビューでもあるように、権力と暴力の異質性を強調することのほうがクラストルには多い。ところがここでクラストルは、権力の本質を暴力である、未開社会はそうみなしているとしている。要するに、ここでいわれる権力は強制的権力であり、この強制と暴力が深くかかわっているといっているのである。

だからこそ、言葉が重要になる。言葉はここでは、暴力と権力を引き離す装置である。なぜ、首長はつねに語らなければならないのか、つねに雄弁でなければならないのか。それは言葉が暴力の対極にあるからなのだ。「[…]「未開の」政治哲学に身を捧げるグアヤキは、権力と暴力を根本的に分離していた。首長であるに値することを証明するために、ジュヴクギ〔グアヤキの首長〕は、パラグアイ人と違って自分はその権威を強制力によって行使するのではなく、逆にそれを暴力ともっとも対立するもの、言説の要素、言葉のなかで発揮することを見せなければならなかった」▼98。ここでは強制的権力の発生が暴力となにがしかの本質的な絆をむすんでいることを示唆しているとみなせないだろうか。

ですが暴力による命令であるだけではないなにかが権力関係のうちにはあるのです。そ

97——Clastres, *La société contre l'Etat*, p.136.(『国家に抗する社会』、一九二頁)

98——Pierre Clastres, *Chronique des indiens Guayaki : les Indiens du Paraguay, une société nomade contre l'Etat*, p.84.(『グアヤキ年代記』、一〇一頁)

れ［暴力による命令］はとてもかんたんです。問題をたちどころに解決するのですから！
と、本インタビューでクラストルはいっている［↓36頁］。権力を暴力に還元するのは安易であるというニュアンスである。しかし、この「かんたんさ」あるいは「たちどころ」のうちにこそ、権力との関係で暴力のもつ深遠なる意義があるのではないだろうか。

自己-野蛮化と創造的拒絶

――J・C・スコットとクラストル

先ほどトポロジカルな転位のひとつの表現が地理的転位である、としたが、この論点は、「未開人」と対比された意味での「野蛮人」と深くかかわっている。

そこで、解題者は、クラストルにはらまれた潜在性のうち、アバンスールの固執する路線を「未開人アプローチ」、ドゥルーズ＋ガタリにみられる路線を「野蛮人アプローチ」と、さしあたり呼びたくなる。

そうしたうえで、この「野蛮人アプローチ」のひらく領野を豊かに実証する典型的な仕事があある。それは政治学、人類学、歴史学などを横断しながら独自の知的世界を展開しているジェイムズ・C・スコットのものである。そして、その線上の作業を代表する著作が『ゾミア』（オリジナルのタイトルは「統治されない技法」）である。[99]

もともとスコットは、マレーシアの農村のフィールドワークをふまえたうえで、小農や小作農の蜂起や反乱のような公然たる抵抗ではなく、日常のふるまいのありとあらゆる領域に広がる多種多様な抵抗のありよう、とりわけ権力に直面しながらのあの手この手の「面従腹背」の交渉のありようを従属階級一般に広げ、それを主題として論じたテキストで知られていた。[100] 先ほどから俎上にあげている「ラ・ボエシ流の問題」という文脈で表現すれば、一見「自発的隷従」にみえる現象が、立ち入ってみれば二重化しているというか、たとえば、ある局面での服従関係を自発的にみせることで別の局面での服従を回避しているとか、あるいはより大きな服従を遠ざけているとか、そういう複合的な力学に注目した研究者である。

そのかれの「野蛮人アプローチ」にうながすベクトルを集約的に表現する概念があるとすれば、それは「自己－野蛮化 [self-barbarianization]」だろう。先ほど述べたように、歴史の三段階図式で

99―― James C. Scott, *The Art of Not Being Governed : An Anarchist History of Upland Southeast Asia*, Yale University Press, 2009.（ジェームズ・C・スコット、『ゾミア――脱国家の世界史』、佐藤仁監訳、みすず書房、二〇一三年）

100―― 残念ながら、この「古典」には日本語訳が存在しない。James, C. Scott, *Weapons of the Weak: Everyday Forms of Peasant Resistance*, Yale University Press,1985.

いうと、クラストルは未開に集中した。スコットはそのクラストルのみいだした未開の力学を、いわば野蛮のほうに投入する。それによって、「抗する」の力学を「外部と内部」のほうへとずらしていくのである。

その力学が具体的にみいだされるのは、「ゾミア」と呼ばれる「ベトナムの中央高原からインドの北東部にかけて広がり、東南アジア大陸部の五カ国（ベトナム、カンボジア、ラオス、タイ、ビルマ）と中国の四省（雲南、貴州、広西、四川）を含む広大な丘陵地域▼101」である。標高三〇〇メートル以上に位置し、二五〇万平方メートルにおよぶその領域には、およそ一億の多種多様な少数民族が住んでおり、国家の中心になることもなく、通例の地域区分にも該当しない、国家秩序の辺境でありつづけてきた。そのような人々はふつう、国家に「いまだ」統合されないまま、人類の「かつて」の「未熟」な生存様式に生きるものと表象されてきた。スコットが異議を唱えたのはそのような常識であった。かれによればそこに住まう山地民とは、「これまで二〇〇〇年のあいだ、奴隷、徴兵、徴税、強制労働、伝染病、戦争といった平地での国家建設事業に伴う抑圧から逃れてきた逃亡者、避難民、〔奴隷制から逃れた〕マルーン共同体の人々である」。そして、これらの人々のとる生業、社会組織、イデオロギー、あるいは口承文化さえも、国家を忌避するために意識的にとられた戦略である、という。口承文化さえも、というのは、文字を意識的に捨てるということである。これも無文字から文字へというかたちでの文化の「必然的進歩」を国家の必然的テロス性とむすびつけていた発想へのトータルな挑戦である（かれはこ

101——Scott, *The Art of Not Being Governed*.（『ゾミア』、ix頁）

102——*ibid*., p.18.（一七頁）

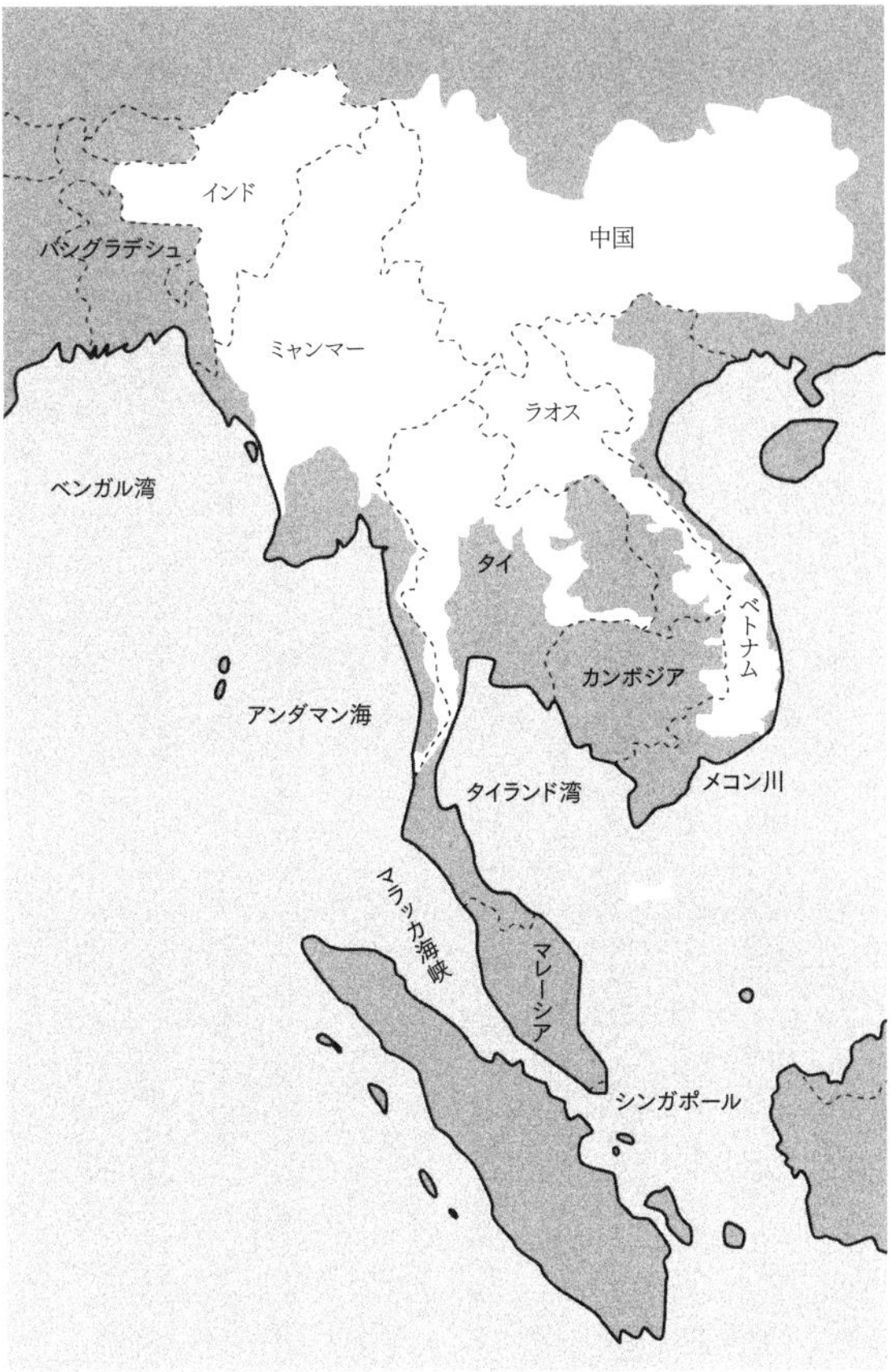

「ゾミア」のおおよその地理範囲（白部分）▶102

のような動きに「二次的プリミティズム」という名を与えている）。中国という王朝国家への編入の回避、そしてみずからの内側からの国家の生成の阻止といった、総体として国家に抗する機能をはたす「戦争機械」として機能しているのだ。

中国という帝国は、典型的に文明と野蛮（「夷狄《いてき》」などなど）という言説、つまり中華思想で、その支配にかかわる力学を把握してきた。その力学はもちろん求心的な力学である。それを周縁の側から遠心的力学として把握しなおす、「野蛮化」の力学をここにみることができる。

> 本書では「原始的［未開］」といわれるものについて広く信じられている通説が根本的に覆される。遊牧、採集、移動耕作、分節リネージ組織といった一連の慣習は、往々にして「二次的適応」であり、意図的に選ばれた「自己‐野蛮化」の結果といえるものだ。それは、居住場所、生業手段、社会構造を、国家からの逃避という目的の下で巧妙に調整した結果なのである。山地における国家は派生的、模倣的、かつ寄生的であった。国家の陰に暮らす人々にとって平地国家からの逃避とこうした山地的様式とは相矛盾するものではなかった。▼103

こうしたヴィジョンをスコットは、最近では近年の考古学の発見を取り入れながら人類史にまで延長している。そこで描写される「野蛮人の黄金時代」は魅力的である。スコットによれば「野蛮人の黄金時代」とは、「初期国家」の時代から十七世紀、つまり「国民国家」の勃興の時代まで広がる。その時代まで、世界は国家の民で埋め尽くされていたわけではない。「人類史のなかで国家構造のない状態で生きることこそが人間の標準的な状態であった」[104]。それどころか、つい最近まで、国家への統合をあの手この手で拒む「野蛮」と名指された人々が、世界には跳梁跋扈していたのである。

スコットは『ゾミア』で「国家とは一度建設してしまえば永続するというものではなかった」という。一見するとクラストルのラ・ボエシ論への反論のようにもみえる。ふたたび確認しておくならば、クラストルはラ・ボエシ論で、「国家は当然崩壊しうるし、こちらでは封建領主制に分裂し、あちらでは地方首長制に分割されることはあっても、決して権力関係を廃することはないし、決して社会の本質的な区分を消滅させることはなく、決して国家以前の時に戻ることはない」と述べていた〔↓171頁〕。たしかに、国家は崩壊する、だが一度定着した支配と従属の関係が水平的関係に戻ることはない、と。しかし、この記述からは、やはり国家と社会と

103——*ibid.*（x頁）

104——James C. Scott, *Against the Grain: A Deep History of the Earliest States*, Yale University Press, 2017.（ジェームズ・C・スコット、『反穀物の人類史——国家誕生のディープヒストリー』、並木勝訳、みすず書房、二〇二〇年、四頁）

いう時間的単位で輪切りにされた断面しかみえてこない。ところが、スコットが切り開くヴィジョンにおいては「国家は崩壊する」といった現象が、地理的力学にさらされる。たとえば、そこに周縁的遊牧民や周辺の民が横断し、一時居住したかもしれない「暗黒時代」がおとずれる。さらにより大きく地理的範囲をとるならば、国家とそこから逃れていっていわば「マルーン共同体」を構築する(maroonage「マルネージ」ともいう)、国家の内部の力学とは対照をなす、あるいはその力学の発生を阻止するさまざまな機構を意識的に発明する、その動態がみえてくるだろう。「未開」は時間に力点をおく概念であり、「野蛮」は空間に力点をおく概念である、とするなら、進化論を排除するためには、「断絶」の概念を時間軸ではなく空間軸へと移動する必要があるのだ。

しかし、スコットのこのアプローチも、実はクラストルのインパクトに由来するものである。そもそも『ゾミア』は扉に、クラストルの『国家に抗する社会』の最後の一節をエピグラムとして掲げている。「歴史をもつ民衆の歴史は階級闘争の歴史である、といわれる。少なくとも、同様のたしかさで以下のようにいえるだろう。歴史をもたない民衆の歴史は国家に抗する闘いの歴史である」。そして、本文中でも、クラストルの「切り開いた[…]予知的な明察に満ちた[…]道」にみちびかれたと公言している。▼105

あるインタビューでは、より詳細に次のように述べられる。

わたしにとって、ピエール・クラストルは一種のヒーローです。というのも、ヤノマミ、シリオノ、グアラニが、新石器時代の一種の遺物などではなく、病いや強制労働のゆえにスパニッシュ・レドゥクシオン［スペイン人による先住民集住政策］から逃げ出して狩猟採集民となった元・定住農民であることをはじめて指摘したのがかれだったのですから。それは二次的適応です。つまりかれらはいわばみずから望んだ野蛮人だったのです。ほとんどだれもこうした見解を認めず、アメリカの人類学の全体が反発するであろうそんなときに、かれは狩猟採集を国家形成へのひとつの適応であるという主張をおこなった。そんなふうにみえていました。かれはまた、こうした諸集団の社会構造を、内側から国家が成長することを妨げる努力、一種の国家を予防する社会構造とみなしていました。ラテンアメリカについて学んできたことのことごとくが、概してクラストルの考えを裏づけているようにおもえます。かれがこういう見解を表明してから、半世紀がたちました。おもうに、一九六〇年代から七〇年代には、かれの仮説をまったくきわだたせるような膨大な量のエビデンスが積み重なりました。だから、わたしの負っているものは巨大なのです。▼106

105 —— Scott, *The Art of Not Being Governed.*（『ゾミア』、viii頁）

たしかにクラストルは、（インカ）帝国と農耕の民であるグアラニ、そして森の民であるグアヤキの重層的関係にしばしば言及している。そしてグアヤキの狩猟採集の生活が農業へと発展し損ねたわけではなく、農耕をみずから放棄した結果であることは強調してもいる。[107] とはいえ、そうした異質な社会形成体の相互作用についてクラストルは記述的次元を超えてふみこんだことはほとんどなく、スコットが汲み取ったほどはっきりと帝国の支配との関係性のなかでの意志的拒絶の力学上に南アメリカの「国家に抗する社会」をおいたことはないようにおもう。しかし、とにかくスコットはこのように受け取ったわけだ。たとえクラストルが、いわば「未開の断絶」にこだわって、「内部と外部」の「野蛮の力学」にまでは深くふみこまなかったとしても、やはりクラストルの教えは両義的、というか破壊的だったのだ。

もうひとつ、このアプローチの脈略にある作業として、もっと「野蛮」な歴史家ピーター・ランボーン・ウィルソンをあげておかねばならない。

ウィルソンも、はっきりとクラストルの影響のもとにある在野のアナキスト歴史家である（かれは社会に内在する国家に抗する諸装置に「クラストル機械」という概念をあてている）。たとえば、その著作『海賊ユートピア』[108]では、十七世紀の北アフリカ（現モロッコ）における複数の都市国家について、海賊たちが中心になって構成していた共和国であり、さらにその海賊をキリスト教からイスラームに転向した背教者などの難民たちが構成していた、というおどろくべき近代史の刷新をみせている。かれだけではない。近年の海賊研究は、カリブ海を中心舞台とする海賊たちの自治的組織、あるいは「デモクラシー」が、かれらがそこから逃亡してきた軍隊や商船のヒエラルキー的組織の自覚的な拒絶からなっていることをあきらかにしている。このような「自己－野蛮化」の力学を「創造的拒絶〔Creative Refusal〕」として一般化する方向性もすでに示唆されている。[109]

それにしても、この発想がひらいてくれる視野が、わたしたちの常識に深く食い込んだ進化論に汚染された歴史観とはいかにちがったものであるか。いまや、思考におけるクラストル機械の作動によって、わたしたちの歴史は、選択された「後退」、自覚された「未開」、意志された「不動」などに充ちた、陥没とジグザグ、そして上下左右／右往左往の時間と化している

---

106 —— Cerezales, D. P., Duarte, D., Sobral, J. M., Neves, J. (2013), Interview with James C. Scott "Egalitarianism, the teachings of fieldwork and anarchist calisthenics", in *Análise Social*, 207, XLVIII (2.0), pp.460-1.

107 —— 「南アメリカ・インディオの神話と儀礼」(『政治人類学研究』所収、七〇頁)などをみよ。あるいは、Le civilisation guayaki : archaism ou regression?, Revista del Ateneo paraguayo, supplement antropologico, n°1 (repris dans *Chaire Pierre Clastres*.)

108 —— Peter Lamborn Wilson, *Pirate Utopias: Moorish Corsairs & European Renegadoes*, Autonomedia, 2003.(ピーター・ランボーン・ウィルソン、『海賊ユートピア——背教者と難民の一七世紀マグリブ海洋世界』、菰田真介訳、以文社、二〇一三年)

109 —— この概念はデヴィッド・グレーバーによる。David Graeber, Culture as Creative Refusal, in *The Cambridge Journal of Anthropology*, September, 2013.

のだ。とはいえ、日常をふり返ってみれば、そうした契機のほうが、むしろわたしたちの「常識」に近接していることがわかるはずだ。たとえば、体育会系のヒエラルキーがいやで集まった人々は、その組織を模倣することはありえないだろう。むしろ「同好会」とか「サークル」として、できるかぎりじぶんたちが逃げてきた先の集団形成のありかたやその原理を模倣しないようにするはずだ（これは直感的にいうのだが、支配的セクトの抑圧的度合い（スターリニズム的度合い）が強ければ強いほど、その大学の無党派運動はアナーキーな諸原則を組織法にするといった傾向があったようにおもう）。やはり既存のヒエラルキーから脱落した者たちが、そうしたヒエラルキー組織の反転した集団性を組織するといった物語（たとえば『七人の侍』が典型である）がきわめて魅力的であるのは、それがこのような「マルネージ」的想像力にうったえているからということもいえるだろう。こうした動態が、よりフォーマルな経済集団やあるいは政治集団のただなかでくり返され、おそらく世界史の重要な転換点を構成することもあるだろう。さらには、ひとつの社会を形成している倫理コードが、系譜をたどっていけばこのような「創造的拒絶」から形成されていることも多々みられるにちがいない。

インディアンはいかにかぞえるのか

――ニコル・ロロー、古代ギリシア、グアラニ

さて、ここでもうひとつ、批判的に検討しておくべきことがある。先ほど、サーリンズがクラストルに対するよくある批判を要約しているのはみた。「[…]人々が前もって「直感」と「予感」によって、かれらが経験したことのない種類の政治形態の社会を拒否することができるという考え方」は疑わしい、というものである〔↓187頁〕。これに対して、先ほど述べたスコットのような現実的／経験的レベルで展開する「野蛮人アプローチ」をとれば問題は一挙に解消する（もちろんこの作用は潜在的＝現実的平面をトータルな舞台としているからそうはいかないのだが）。というのも、経験したことがないどころか、外的であれ内的であれ経験したからこそ、それを否定してみずから「野蛮人」と化したのだから。

それとはまた別の経験的水準での説明の仕方もある。これは、必然的にクラストルの議論の死角になる。すなわちジェンダーの次元の問題である。

デヴィッド・グレーバーは、クラストルのジェンダーについての「おどろくべき」見落としを指摘している。

たとえばクラストルは、女性の役割をわきまえようとしない女性たちを輪姦することで脅すことで有名なアマゾン社会を、まったく平等主義的な社会として紹介している。いったいどうしてかれはこんな盲点をさらしてしまったのか？〔…〕おそらくアマゾン社会の男たちは、じぶんたちが妻や娘たちにそれを行使することで、恣意的だが暴力に裏づけられた有無をいわせない力がどんなものか理解していたのだ。おそらくまさにその理由で、それがじぶんたち自身におよぼす構造を日の目に見たくなかったのだ。[110]

恣意的暴力によって裏打ちされた有無をいわせぬ力、これはまさに強制的権力であって、まさに「主権」を構成するミニマムな論理である。つまり、構造化された強制的権力はすでに「国家に抗する社会」としてのインディアン社会でも行使されていて、それを知っているがゆえに、かれらは「国家」がおそるべきものであること、その登場を阻止しなければならないことを知っていた。これは重要な論点である。

このような力学は、すでに家父長制の形成にかんする古代史のなかで展開されているのだが、クラストルに即していうなら、フランスの古代ギリシア史家のニコル・ロローが、その著名なクラストル論（「一なるもの、二なるもの、そして多なるものについてのノート」）で主題にあげている。[111]

ロローがまず照準するのは、クラストルの提示する二つの思考様式の差異、つまり古代ギリシアの哲学的思考とグアラニの哲学的思考の差異である。
それを検討するまえに、まずグアラニの哲学的思考というべきものをふまえておく必要がある。先ほども少しふれた、予言者「カライ」の形象において集中的に表現される思考である。本文インタビューでは、インタビュアーがさらに突っ込んで掘り下げようとしていないため、かんたんにふれられている程度である。

南アメリカの例をとれば、トゥピ・グアラニ族のなかに予言者は存在しています。ですが、年代記作家たちはこぞって、呪術者であり医師であるシャーマンと予言者をはっきりと区別しています。予言者は語ります。共同体から共同体、村落から村落を渡り歩き、演説をおこないます。かれらは特別な名をもっています。「カライ［carai］」というものです。一方、シャーマンは「パジェ［paje］」と呼ばれます。この区別は、まったくあきらかです。わたしがおもうに、もう一歩ふみ込んで、シャーマンがのちに予言者になるというのではないということもできるとおもいます。シャーマンと予言者は完全に異なる形

110――David Graeber, *Fragments of an Anarchist Anthropology*, Prickly Paradigm Press, 2004, p.23.（デヴィッド・グレーバー、『アナーキスト人類学のための断章』、高祖岩三郎訳、以文社、二〇〇六年、六四頁）

111――Nicole Loraux, Notes sur l'un, le deux et le multiple, in Abensour (dir.), *L'esprit des lois sauvages. Pierre Clastres ou une nouvelle anthropologie politique*, 1987.

象なのです。〔↓57–58頁〕

ここではクラストルは予言者であるカライとシャーマンとをきっぱり区別しているがテキストによってはカライをシャーマンといっているところもある（「トゥピ・グアラニ族のシャーマン、とりわけそのもっとも偉大なる者カライは▼112〔…〕」）。しかし、本インタビューのいうように、カライとシャーマンはやはりまったく異なる独特の形象である。

それではカライとはなにか？　クラストルがたびたび強調するように、十六世紀はじめ、ヨーロッパ人たちが新大陸で遭遇したのは深い不安にさいなまれた社会であった。かれらとの遭遇が惹き起こしたものではない。ヨーロッパ人たちがやってきたとき、そこでみいだされた人たちは、すでにそのような不安に囚われていたのだった。ポルトガル人やフランス人はトゥピに、スペイン人はグアラニにそれぞれ、おなじようにそのような社会をみいだした。そしてその不安の中核に位置し、その不安に言葉でかたちを与え、人々を悪しき世界からの集団的エクソダスに煽《あお》り立てていたのが、このカライであった。たえず交戦状態にあるこのインディアン社会において、かれらだけはどこに属することもなく、部族から部族へ、村から村を渡り歩き、この世界は悪しきものである、それゆえ〈悪なき大地〉に到達するためにこの世界を捨てよ、と情熱的に呼びかける。そして、その呼びかけにおびただしいインディアンたちが応じ、地上の楽園を熱狂的にもとめ、移住しているのである。▼113

植民地主義との遭遇による衝撃が当該社会の原住民のうちに生みだす熱狂的なユートピア的信仰は「千年王国主義」とも呼ばれ、近代史のうちにひんぱんにみいだされている。新品の財物とか商品を山と積んだ船が海からあらわれてじぶんたちを豊かにしてくれるといったメシア的確信によって支えられる「カーゴカルト」はその一種である。ときにそれは「太平天国の乱」のような大規模な宗教運動となることもある（日本でも「ええじゃないか」の熱狂はその一種ともいえるかもしれない）。この現象については、おびただしい研究の蓄積がある。この「悪なき大地」をめざす宗教運動もこうした千年王国主義のひとつとみなされることもあるが、（ピエールもエレーヌも）クラストルはそうではないという。というのも、述べたように、それはすでにヨーロッパ人との遭遇以前からはじまっていたからである。

この〈悪なき大地〉をめぐるグアラニの思考の神髄に、クラストルは一九六五年のフィールドワークでふれることになる。

グアラニには執拗な問いがあるとかれはいう。「悪はどこにあるのか？ 不幸はどこからやってくるのか？」 クラストルはグアラニの賢者にマイクを向け、その語りを録音している

112——Clastres, *La société contre l'Etat. Recherches d'anthropologie politique*, p.138.（『国家に抗する社会』、一九五頁）

113——ここでのカライという予言者についての議論は、エレーヌ・クラストルによる研究（Héléne Clastres, *La terre sans mal. le prophétisme tupi-guarani*, Editions du Seil, 1975.）も参照している。

うちに、いつのまにか、賢者がその問いへの応答をはじめたことに気づく。

ものごとは、その総体において、ひとつである［les choses en leur totalité sont une］。そしてそのことを望まなかったわれらにとっては、ものごとは悪しきものである。[114]（強調は引用者）

「おもいもかけぬ論理展開、西欧の知のもっとも遠い始源をも自失させ震撼させる論理展開[115]」

とクラストルはこの経験についてのちに注釈している。

とはいえ、クラストルによれば、この未開人たちの思考は、われわれにとってもまったく疎遠なものではない。そこにいるのは、決してヨーロッパ人の幻想のなかにしかいない充足した「善良なる未開人」ではなく、ヨーロッパ人とおなじく不幸の系譜を問うものであるから。われわれ人間は不完全で邪悪な大地に住んでいる、それは西洋人に教えられるまでもない。われわれは不幸になるべく生まれるわけではない。それなのになぜ、このようであるのか。「なぜわれわれは、美しく身を飾った者であり、神々に選ばれた者であるのに、欠陥、未完成、不完全性に病んだ生活にゆだねられているのか？[116]」。キリスト教の教えとはちがい、その不幸において人間に罪はない。それではなぜこうなのか。悪の根源的な原因は、「ものごとは、その総体において、ひとつ」であるということ、つまり〈一なるもの〉にあるのだ。

それでは悪としての〈一なるもの〉とはなんだろうか。ここでいわれる〈一なるもの〉とは「全体〔Tour〕としての〈一なるもの〉」ではない。「ものごとは、その総体において、ひとつである」を悪の根源と名指しながら、いったいどういうことなのか。クラストルによれば、ここでの〈一なるもの〉は〈全体〔Tour〕〉を指しているわけではない。つまり、ここで想定されているのは〈一なるもの〉に統合された全体主義社会のようなものではない。そもそも〈全体〉というカテゴリー自体、グアラニの思考には不在である。そうではなく、それは「ひとつひとつあげられる「ものごと」、世界を構成する、天、地、水、火、植物、動物、そして人間、といった「ものごと」は、〈一なるもの〉という不吉な刻印によって刻まれ彫り込まれている」という事態を指している。要するに、わたしたちは世界内の存在をひとつひとつ切り離してかぞえあげるわけだが、そのようにしてわたしたちはすでに、「欠如したもの」、ということは「滅びうるもの」である世界にあるのだ。

〈一なるもの〉とは、滅びうるすべてのものである。〈一なるもの〉の存在様式とは、過

114 —— Pierre Clastres, *Le Grand Parler. Mythes et chants sacrés des Indiens guarani*, p.11.（『大いなる言葉』、一五頁）

115 —— *La société contre l'Etat*, p.148.（『国家に抗する社会』、二一二頁）

116 —— *Le Grand Parler*, p.11.（『大いなる言葉』、一四頁）

渡的なもの、移ろいゆくもの、はかないものである。消滅するためにのみ生誕し生長するもの、それが〈一なるもの〉と呼ばれる。それはなにを意味するのか？［…］〈一なるもの〉は、滅びうるものの側におかれることによって〈有限なるもの〉の記号となる。人間の大地は、それ自身の裡《うち》に未完成と腐敗と醜さのみを宿している。醜い大地とは邪悪な大地の別の呼び名なのだ。イウイ・ムバエメグア、それは死の王国である。軌道を描いて動くあらゆるもの、死すべきものすべてが、一であるといわれよう――そしてグアラニの思考はそういうのだ。〈一なるもの〉、それは死の停泊地である。死とは一であるものの運命なのだ。不完全な世界を構成するものごとは、はぜ不死ではないのか？なぜならそれらは有限であり、欠けるところがあるからだ。滅びうるものは、不完全性がもとで死滅する。〈一なるもの〉とは、不完全なものの特性なのだ。[117]

ものごとに同一性原理を賦与《ふよ》する人間の能力――その能力によって、ものごとの境界を与え、統一を設定すること、そんなふるまい自体が不完全性を帯びていて、したがって不幸を呼んでしまうのだ。たしかに、これも人間のひとつの能力だが、もうひとつの真の能力に比べればもののかずではない、とクラストルはいう。その真の力とは、「沈黙のうちに、これはこれであると同時にあれであり、グアラニは人間であると同時に神であると言明することのできる」能力である。悪が〈一なるもの〉であるとしたら、そうではないもの、すなわち善であるものは、予想されるのとはちがって、多なるもの [le multiple] でもない。それは、あるものであると同時に別のものでもあること、すなわち二なるもの [le deux] である。「二こそが、完全なる存在を真に指し示す」のであり、悪なき大地に住まうものは、「神－人間、人間－神のみである[118]」。

このように、一と二、そして多という、ヨーロッパにおける思考の伝統のなかの「数え上げ」を媒介にしながら、クラストルはヨーロッパとの対照でグアラニの思考を浮き彫りにしてみせているわけだ。

とはいえ、クラストルによるヨーロッパの思考についての参照は、断片的なものにとどまっている。「グアラニにおいては、「一」の支配に対する能動的な反抗があり、ギリシア人には「一」への思弁的な郷愁が認められる[119]［…］」とか、「どちらの場合にも、〈一なるもの〉と非〈一なるもの〉の思想、〈善〉と〈悪〉の思想が認められる［…］」。だが、ソクラテス以前の賢者たちが、〈善〉とは〈一なるもの〉であるといっていたのに対して、グアラニ族の思想家たちは、〈一なるもの〉は〈悪〉であると主張する[120]［…］」、あるいは「グアラニ・インディアンが〈一なるもの〉は「悪」であるという時、ヘラクレイトスは、〈一なるもの〉が「善」であるという[121]［…］」といった具合である。ヨーロッパにとって、未開社会が思考不可能であったのは、この古代ギリ

117—— *La société contre l'Etat*, p.149.（『国家に抗する社会』、二一四頁）

118—— *ibid.*, p.150.（二一六頁）

119—— *ibid.*（二一三頁）

シアに由来する思考パターンにあったというわけだ。

［…］ヘラクレイトスの断片的な著作のなかで、政治的なもの——ポリス——をめぐるヨーロッパ思想が誕生した［…］。すなわち社会を代表するものが、社会から外的な〈一なるもの〉の形象のなか、政治空間のヒエラルキー的配置のなか、王であれ専制君主であれ、首長の命令機能のなかに体現されるにちがいない、社会が存在するのは、〈主人〉と〈臣下〉へと社会が分割しているという徴表のもとにおいてだけである[122]［…］。

以上をふまえて、ニコル・ロローの議論に戻りたいのだが、すぐれたギリシア史家としてしばしば他領域にも越境する波紋によって知られるロローの思考について、ざっくりと文脈で必要なかぎりのポイントを拾うこととしかここではできないことはことわっておかねばならない。

まず、ロローの議論はこうである。クラストルはギリシアに起源をおくヨーロッパの思考と未開の思考を対極にあるようにつねに提示しているが、古代ギリシアの研究者からすればそれはなじみのあるものだ。「少なくともわたしの感覚は、インディアンとギリシアを対比させるならば、グアヤキと哲学者、ヤノアマの戦士と古代のヘロスとは、そう隔たったものにはみえない[123]」。

たとえばクラストルは、古代ギリシアが〈一なるもの〉を善としていることを前提としている。すなわち国家とそれにともなう支配者／被支配者の分割を善としていた、と。ロローはそれにこのように応じる。たしかにそのような契機が古代ギリシア──古代アテナイのデモクラシー──にないとはいわない。しかしアルケーとクラトスの二つの領域で機能する都市（国家）をその関係に還元することはできない。アルケー（はじまりであり、権威であり、指導であり、責務である）の原理は輪番制を示唆してもいる。つまり市民は命令と服従の役割を順番に交替することで、支配と服従の関係の生成を阻止しているのであり、ここでは平等なる共有《パルタージュ》がみられる。もうひとつは「クラトス」である。これは支配というふうに解釈されるが、それよりも「優越」のほうをより大きく意味しており、諸分派への共同体の分裂ないし分割を示唆している。[124]

古代ギリシアの都市共同体は、このアルケーという平等の共有とクラトスという分割の現実とを和解させなければならなかった。というか後者を隠蔽しなければならなかった。〈一なるもの〉とは、このような分割なき共同体である。そのとき分割ないし分裂は「スタシス」（内戦）

120──*Le Grand Parler*, p.12.（『大いなる言葉』、一六頁）
121──*La société contre l'Etat*, p.185.（『国家に抗する社会』、二七〇頁）
122──*ibid.*, p.172.（一九〇頁）
123──Nicole Loraux, *op.cit.*, p.156.
124──興味深い論点だが、ロローによれば、よく知られているように「デモクラシー」はデモクラシーの敵対者によるレッテルばりから由来しているが、そのネガティヴな含意は、この共同体にデモスというフラクションの優位というかたちで分裂を導入する悪にあったという。敵対者にとって、あくまでデモスは都市の一部でなければならなかったのである。前掲の論文Nicole Loraux (p.162-3.) をみよ。

として認識される。そしてロローによれば「ギリシアの政治」とは「スタシスを回避するための思考の作用とその手段」、つまり〈二なるもの〉の脅威を〈一なるもの〉によって封じることになる。▼[125]

　ロローのシビアな目は、クラストルのグアヤキの共同体にも似たアテナイの平等な共同体のうちに、内なる分割、すなわち〈二なるもの〉の脅威、〈二なるもの〉の排除をみている。そして、このようにギリシアに置き換えられた数え上げがさらにグアヤキに返されるのである。

　ロローによればグアヤキにおいても、このような〈二なるもの〉の脅威とその懐柔がみられる。たとえば本インタビューの訳註でも紹介しているが［→45頁］、『グアヤキ年代記』には、妻の「不倫」がもたらした男性間の緊張を、妻のその愛人を「第二の夫」にすることで回避する「一妻多夫制」の様子がえがかれている。まさに二つのバンドのあいだの緊張、内戦におよぶ緊張こそが、一妻多夫制の起源であるとするなら、「クラストルの語る「非分割［l'indivision］」とは、二なるものの脅威を二なるものを無際限に増殖させることで払拭することではないか？　多なるもののうちに二なるものを拡散させることによって払拭することではないか？」▼[126]

　ロローは、クラストルのラ・ボエシ論の末尾の、印象的な一節を引用している。

　神の決定によって平等なものと設定され——自然に！——、社会は丸ごと一つで［*un tout un*］、すなわち、分割しないで〔*c'est-a-dire indivise*〕、まとめあげられている。かくして、社会は、ムブラユすなわち部族の生と生きる意思、同等なものの部族的連帯のままでしかありえない。ムブラユは友愛であり、友愛が築いた社会がひとつであるように、この社会の人々もみんなでひとつの存在〔*tous uns*〕なのだ。[127]

ロローは、この一節をとりあげながら、クラストルは本当に〈一なるもの〉を敵としているのだろうか、と問うている。「〈一なるもの〉の有害なる西洋的定義に、もっと正当なもの、グアラニが与えるような定義を対立させるためには、西洋の〈一なるもの〉を大文字で、グアラニの〈一なるもの〉を小文字で書けばよいというのだろうか？　前者を名詞にして、後者を形容詞にすればよいのだろうか。それとも〈一なるもの〉を複数形にすればよいのだろうか？」このような批判は安直である、とする留保を忘れないロローにもかかわらず、ここではクラストルの議論のはらむ厄介なポイントが串刺しされている。ここで問題になっているtous unsであるが、お気づきであろうが、ラ・ボエシからとられたものであって、専制君主あるいは国家そのものである〈一なるもの〉とは対照的な友愛によってむすばれあう「ひとつ」、分割されざ

125―― p.163.
126―― p.165.
127―― Clastres, *Recherches d'anthropologie politique*, p.125.（『政治人類学研究』、一三九頁）

る「ひとつ」を意味している。クラストルに、un Nous（ひとつのわれわれ）、une totalité une（一なる全体性）といったかたちであらわれる、そのようなラ・ボエシ流の肯定的な「一」にまつわる語彙系が存在しているのはあきらかである。たとえば、ラ・ボエシ＋クラストルのラインを継承するアバンスールにとって、まさにこの tous uns（みんなでひとつ）の概念こそ、重要な意味を帯びることになる。かれはこの tous uns を「蜂起するデモクラシー」の鍵概念として多用しているのみならず、みずからのインタビュー集のタイトルにまで据えているのであるから。[128]

くり返しておくと、ここでの tous uns は、分割を導入した社会、支配者と被支配者に分割した社会における分離した権力、国家としての〈一なるもの〉ではない。そうではなく、分割を阻止する社会としての tous uns であって、これはクラストル＋アバンスールの強調する、未開社会の「自律的全体性」と「同質的単一性」を表現する「ひとつ」である。ロローは、まさにこの肯定的に提示される tous uns すなわち「みんなでひとつ」の「友愛の共同体」について、疑念を隠さないでいるのである。

ロローは、クラストルの記述のなかに、この二なるものの脅威が女性であることを示唆する箇所をつきとめていく。

「まるで男であるためには、女性に対抗するしかないかのようである[129]」。

「男たちが大げさに見せびらかしている怒りは、半分偽《いつわ》ったものというよりもそれ以上のものであるということ。ラバ・ミチ〔弓と弓をぶつけあう暴力の戯れ〕がなければ、そしてジェプロロ〔威嚇の叫喚〕と殴打がなければ、そして女性に対する男たちの闘いがなければ、そしてこのなかで女性が敗北するのでなければ、つまりはこれらすべてのものがなければ、加入儀礼は完全なものとはならないのであり、彼らはこのことを良く知っていた[130]」。

---

128 —— たとえば、「ラ・ボエシに由来する語彙を用いるならば、蜂起するデモクラシーはすべての〈一者〉(tous Un) に抗するみなでひとつの存在 (tous uns) ——ラ・ボエシがいみじくも友愛と名づけたもの——の共同体をあらわしている。より正確には、政治的なことがらの動的な次元を引き受けようとするならば、みなでひとつの存在からすべての〈一者〉への転換に対する抵抗をあらわす。あたかも、蜂起のなかでもとりわけ重要な機能が、みなでひとつの存在の共同体をつねに脅かす、すべての〈一者〉へと画一化する形態へ、複数性とその存在論的条件を否定する形態への横すべりを防止し、食い止めることであるかのように、この抵抗はなされるのである」(Miguel Abensour, *La Démocratie contre l'État : Marx et le moment machiavélien*, pp.12-13.〔『国家に抗するデモクラシー』、一三－一四頁〕)。あるいは、「[…] このかたち〔国家に抗する社会のあらわれとしてのデモクラシー〕の政治的なものの肯定こそが、人民の「政治的能力」、みなでひとつの存在の政治的能力を現実に示そうとするあらゆる近代の革命に刻み込まれているのではないか」(p.16. 一九頁)。

129 —— Pierre Clastres, *Chronique des indiens Guayaki : les indiens du Paraguay, une société nomade contre l'Etat*, p.213.(『グアヤキ年代記』、三〇〇頁)

「好ましい犠牲者である少女たちを死刑にすることで、報復という社会的なゲームをすること」[131]。……

……などなど。そして皮肉をこめて、こう述べる。「つまり「抗する《コントル》」にも多数の様態が存在するのであ［って］［…］女性に抗する男性であること、国家に抗して社会を守ること、これらの命題にはたがいに、おなじ論理が作動しているのではないか？」[132]

クラストルは、グアラニにおいて、「二は完全な存在を真に指し示す」のであり、悪なき大地に住まうものは、「神‐人間、人間‐神のみである」と述べていた。しかし、男と女は一と一であり、グアラニのユートピアにおいてすら足して二を形成することはない。「もし二が男性［人間］‐神の数とすれば、インディアンの思想家が、男性であると同時に女性であることに祝福された完全性を夢想したことを示唆するものはない（しかし、「婚姻規則の流れが認められない」悪なき大地に、女性はいまだ存在するのだろうか？）」。二つの一であるモナドである。

ここでは、インディアンの数え上げが古代ギリシアの数え上げと並行している。「みんなでひとつ」は、平等の関係がそこで終わる〈一なるもの〉、すなわち国家に抗して実現される。かたや「みんなでひとつ」は、女が表現する「二」、内戦を意味する「二」に脅かされ、つねに「抗して」いる。

ここから、ひとつの論点をみちびきだすことができる。

つまり、ドゥルーズ＋ガタリのいう「形式的外部性を現実的独立性とみなす」クラストルの傾向〔↓176頁〕からクラストル自身を解放し、未開の共同体の内部にすらもこうした内部と外部の力学が貫いているとするならば、まさにその共同体もすでに多様な「抗する」力学に横断されることになる、と。つまり、国家化の動きとそれに抗する力学は、首長と戦争という共同体の自律の次元を主要な標的とする次元のみならず、多様な次元にいたるまで貫ぬかれる。デヴィッド・グレーバーの言葉を借りれば、「社会はさまざまな次元でじぶん自身と戦争している」のである。

不可視の政府と宇宙的政体

――マーシャル・サーリンズとクラストル

クラストルのジェンダーの次元についての見落としに対するグレーバーの批判はみたが、サーリンズが要約してみせたクラストルへの批判、未開社会は経験したこともないものを拒絶

130――*ibid.*, p.138.（『グアヤキ年代記』、一七一頁）

131――Nicole Loraux, *op.cit.*, p.167.

132――*ibid.*, p.167, 168.

しているという「不条理」にかんする批判については、ナイーブであるとしりぞけながら、むしろ、そこがポイントであり、そこにラディカルな次元があるとしている。

それらによると抗する力とは、少なくとももっとも基本的な意味において、国家と市場が現前していないところにも存在しているものなのである。その場合にはそれは、領主や王や金権政体の権力に対抗する大衆的な制度として具現化されるのでなく、逆にそのような人物が出現しないことを確実にする制度として形成されてきたのだ。それが「対抗する[*counter*]」のは、社会内部の潜在性[*potential*]、潜伏的アスペクト[*latent aspect*]、あるいはこういってよければ「弁証法的可能性」なのである。[133]

やはりここでも、原国家論でも問われることになった「先取り＝祓《はら》い除《の》け」の問いが、「潜在性」の「弁証法的可能性」の問いとして提起されている。

とはいえ、ここでは「潜在性」の次元に「原国家」のようなものがおかれるわけではない。グレーバーが焦点化するのは、まず未開社会における妄想／幻想の次元である。すなわち、ある未開社会が平等主義的であればあるほど、その社会は異様な妄想に取り憑かれている。すなわち、気の狂った人喰いの神々に魔女たちが懸命に防衛する、力ある人間であればだれもがおそるべき霊力をもち、人肉を食することでその霊力を増強させる可能性をもっている[134]、だれもがおそるべき薬物や精霊をたずさえ、夜には裸で墓地の上を踊り狂い、男たちを馬のように駆る魔女たちが暗躍する。つまり、それらの一見、主従関係を拒絶している社会はこうした死と暴力に覆われた幻想のなかで「不可視の戦争」のただなかにあった。だれもが――とりわけ有力なる人物には――なにがしかの妖力がひそみ、それはおそるべきものに発展するかもしれない。この「不可視の戦争」は、このような力の両義性の上演である。「妖術師とは、つまるところの、この社会の平等主義的なエートス自体のよじれた具現化であり、実践的遂行なのである[135]」。

グレーバーによれば、「あらゆる社会は、一定の度合いで、じぶん自身との戦争状態にある」のであって、つねに「利害、派閥、階層などなどのあいだでの衝突」が存在している。さらに、社会システムは多様な価値の形態の追究に基盤をおいており、それがひとをさまざまな方向性にひとをして誘導する。

共同のコンセンサスを形成し維持することにおおいに力を注いでいる平等主義的社会に

133――David Graeber, 2004, *Fragments of an Anarchist Anthropology*, p.25.(『アナーキスト人類学のための断章』、六六－六七頁)

134――「人肉負債」については、デヴィッド・グレーバー『負債論――貨幣と暴力の5000年』(酒井隆史、高祖岩三郎、佐々木夏子訳、以文社、二〇一六年)の第6章をみよ。

135――Graeber, 2004, *Fragments of an Anarchist Anthropology*, p.29.(『アナーキスト人類学のための断章』、七三頁)

おいて、これはしばしば、それとおなじぐらい手の込んだ反動形成、すなわち、怪物や妖術師、それ以外の魑魅魍魎の暗躍する、ある種の霊的な闇の世界を誘発しているようにみえる。もっとも平和な社会こそが、その想像上での宇宙《コスモス》の構築のなかでは、永続的な戦争の亡霊にもっとも呪われているのだ。それらを包囲する不可視の世界は、文字通り戦場である。それはあたかも社会的合意を獲得しようとするたえざる労働が、たえざる内的暴力――あるいはおそらくより正確にいえば、内的暴力を測定し封じ込める過程――を、覆い隠しているかのようなのである。そしてまさにこれこそが、あるいはその結果あらわれる道徳的矛盾のもつれこそが、社会的創造性の源泉なのである。だが、これらの摩擦しあう諸原理や矛盾しあう衝動それ自体が、最終的な政治的現実なのでない。むしろそれらを媒介する調整過程がそうなのである。▼136

平等主義的な社会であっても完全なる平等ということはありえない。女性に対する男性、若者に対する年配者など、そこには強度はさまざまであっても、なにがしかの支配の形態が存在するのであり、構造的不平等なしの社会はありえない。つまり、社会にはそのうちに自己破壊の火種が存在する。

　クラストルの「抗する」力学は、ここでは社会のうちにすでに縦横に入った亀裂に対応するものとなり、そのすでに萌芽状態にひそんでいる力の両義性の明確な支配／被支配への転換の封じ込めの過程となる。クラストルにおいては首長と戦争をめぐる葛藤にほとんどかぎられていた「先取り＝祓い除け」の過程は、ここでは社会に遍在する力の両義性への対応の過程へと深化しているのだ。

これは「抗する」力学をめぐってドゥルーズ＋ガタリの発展させた方向性とも、ロローが古代ギリシアを経由して浮き彫りにしてみせた「二なるもの」の分裂とその封じ込めによって横断された社会というヴィジョンとも一定程度、符号している。このようなクラストル以降の「抗する」力学の追究の過程は、未開社会が無であるどころか、さまざまな社会形成（力能形成体）、ファクター、価値、引力などなどによって、ダイナミックな動揺にさらされることになる。

グレーバーはここでアフリカのティブ族の事例をあげているが、そこでは想像上の妖術師たちの結社こそ地域を支配する「不可視の政府［invisible government］」であるとみなされている、と指摘している。このような悪の制度化にこそ、かれらは対抗し、権威の登場を妨げてきた、と。この点は、重要な意味をもつが、少し後戻りして、やはりクラストルとゆかりの深いもうひとりの人類学者をとりあげてみたい。

それは先ほどからなんどか登場しているマーシャル・サーリンズである。すでにふれたよう

136 ―― *ibid.*, pp.25-26.（六七 - 六八頁）

に、サーリンズの仕事はクラストルにとって切っても切り離せないものであり、本来はもっと先に論ずべきだったが、あらためて基本的な次元についての確認をしておきたい。

クラストルの「国家に抗する社会」のヴィジョンは、初歩的にみて、二つの作用からなるとみなしてよい。まずひとつは、これまで重点をおいてきた政治的なものの社会的なものによる統制の契機である。そしてもうひとつ、経済の政治的統制の契機である。これも「国家に抗する社会」としての未開社会の存立にとって核心的な意義をもっている。そしてこの後者の契機に、マーシャル・サーリンズがかかわってくる。実際、クラストルはサーリンズのこの『石器時代の経済学』のフランス語版に序文をよせている（オリジナルのタイトルは「サーリンズ『石器時代の経済学』によせて」であるが。のちに「未開経済」と改題して『論集』に再録される）。

サーリンズには「初源の豊かな社会［Original Affluent Society］」と題された有名な論文がある。これは、一九六六年にあるコロックで報告され、それから論文として発表され、さらに一九七二年に『石器時代の経済学［*Stone-Age Economics*］』という著作に収められて公刊される。この論文は、研究世界を超えたインパクトをもち、エコロジー運動のひとつの脈流を支える理論ともなる。それだけ、その内容は衝撃的だったのだ。

この論文のタイトルについてふれておくと、おそらくすぐさま気づかれるように、ここではまちがいなく、一九五八年に公刊され大ベストセラーとなった経済学者ジョン・ケネス・ガルブレイスによる*The Affluent Society*すなわち『豊かな社会』という著作が意識されている。この著作のひとつの意図は、第二次大戦後に物質的な豊かさを獲得していくアメリカ社会が、そのいっぽうで公共部門の貧困をさらしつづけていることへの批判にあった。サーリンズは、アメリカの現代に「豊かさ」の達成をみる経済学の前提を念頭におきながら、この時点までに人類学をはじめとした諸領域で積み上げられてきたフィールド調査から導きだされた数々のデータを駆使しつつ、経済学的な進化論が「豊かな社会」を現代的達成としてみなすところで、それを未開社会のうちにみいだす逆説、それこそ「コペルニクス的転回」を提示した。

それでは、そこでなにが述べられていたのか。ここでは、かんたんにいくつかのポイントにまとめておきたい。

- 未開社会の経済は、「生存経済」ではない。つまり未開社会とは、貧困にあえぎ、ギリギリの飢えの不安のなかで生きられている社会ではない。そうではなく、その社会は、最小の労働と最大の「余暇」のなかで自由に生きられる「豊かな社会」である。
- かれらは蓄積をしない。その都度、必要な量を確保できたならば、それ以上働かずに休むのである。
- ここからあらわれるのは、ヨーロッパの近代的思考を支配してきた「ホモエコノミクス」からほど遠い人間像である。すなわち、利用可能な労働と使用可能な資源を最大限動員するというのではなく、客観的経済的可能性を過小利用しているのである。▼137

ヨーロッパでは、人間本性として、無限の欲望をもつ人間とそれに対する資源の稀少性を出発点として想定してきた。その人間観は、資本主義を人間本性の延長としてみなすイデオロギーの基礎も形成することになる。欲望の過剰に対して資源の稀少性、この想定は近代経済学の基礎でもあるのだ。

それに対して、人類学はそのような人間観が人類一般の本性に刻まれているどころか、きわめてローカルなものにすぎないことを指摘してきた（もちろん、その逆のホモ・エコノミクスで未開社会を説明しようとする、近代経済学の延長で人類学をおこなうひとたちもいる）。ここでのサーリンズの議論は、まさにクラストルが反《コントル》・ホッブズであったように、反《コントル》・スミスといったニュアンスをもっている。

しかし、これら二つは実は絡み合っている。未開社会は、余剰としての生産はしない。もしその余剰が生まれるとすれば、それは強制力によるものである。人間がみずからの必要を超えて労働をするのは、強いられてするほかにはない。ところが、未開社会にはこの強制的権力がない。逆にいうと、この余剰がまさに国家の存在のメルクマールになる。

本インタビューでは、この国家の存在のメルクマールを「貢納」にもとめている。

疎外された労働があって、それが国家を生み出すのではありません。わたしの考えでは、正反対なのです。要するに、権力から、つまり権力の保持〔la detention du pouvoir〕から出発して、疎外された労働が生まれるのです。疎外された労働とはなんでしょうか？「じぶん自身ではなく、他者のために働く」、あるいは、「じぶん自身のために少し、他者のためにに多く働く」といったことです。権力を保持している人々は、他者に向かってこういうことができます。「働いてわれわれに奉仕せよ」と。まさにここから疎外された労働がはじまるのです！疎外された労働の最初の形態でありもっとも普遍的な形態は、貢納の支払い義務です。「われ権力を保持する者なり、しかるになんじら服従すべし」と宣明したとしても、わたしはそれを証立てねばなりません。そこでわたしは、貢納の支払いを義務づけることで証立てるわけです。つまり、あなたの活動の一部を、わたしの独占的な利得に振り向けさせることで、証立てるのです。まさにそれによって、わたしは権力を保持する人物というだけでなく、他者を搾取するものである。貢納と呼ばれることの制度なくして、国家機構は存在しません。権力を保持する人間の最初の行動は、貢納の支払いを要求すること、みずからの権力を行使する者による貢納の支払いを要求することなのです。〔↓35－36頁〕

137――Marshall Sahlins, *Stone Age Economics.*（マーシャル・サーリンズ、『石器時代の経済学』、山内昶訳、法政大学出版局、一九八四年）

先ほど述べたことのくり返しになるが、疎外された労働があって、つまり階級分解があって、それから支配階級が国家をもたらすわけではなく、権力がまず存在して、それが直接生産者の必要とする以上ぶんを、すなわち余剰を生産するよう強制するわけだ。ついに発生してしまった権力はまず、この生産の余剰を「貢納」というかたちで収奪することを目印にしている。

クラストルはこうした「国家化」の諸要素について立ち入った議論はしないが、この「貢納」のうちに、レント、貨幣、労働のマルクスの三位一体論の延長上でドゥルーズ＋ガタリが「捕獲装置」としての国家のうちに位置づけた諸要素の凝縮をみいだすこともできるだろう。▼138 すなわち、ここでクラストルのいう「貢納」のうちには、すでに〈大地〉が測量され区画化されていること、それと貨幣（的機能）を通した課税とその割り当てが可能となっていること、さらに生産物を「余剰」と「非余剰」とに分割する、ということは人間の活動を労働と非労働に分割する作用が生まれていることが前提となっている。

このような展開をひらく起点としてサーリンズ的な「経済に抗する社会」の契機がクラストルの未開社会の存在論において要《かなめ》をなしているのである。

さて、以上をふまえたうえで、サーリンズはクラストルへのアンサーとでもいうべきテキストを書く。それが、これもまた名高い「外来王、またはフィジーのデュメジル」という論文である。理由はわからないが著作として再録されたさいには消えているが、一九八一年に雑誌論文に掲載されたオリジナル論文[139]では、エピグラムとしてクラストルへの献辞が掲げられている。これはなにを論じているのかというと、まず首長制ではなくハワイやフィジー諸島の王権である。

かれはこう述べている。

王権は社会の外部から出現する。まずは外来者として、そしてなんらかの恐れの対象として出現した王は、かれの象徴的死と必然的な土地神としての再生の過程を通じて、土着の民により吸収され順化されるのである。[140]

サーリンズによれば、これはハワイやフィジーだけではなく、ヨーロッパにもそして日本にもみられるプロセスである。多数の社会において、王は外からやってくるものである。日本においても、「まれびと」は海や山からやってくる。あるいは、王は天から降りてくる。そして征服によって君臨する。

138——この論点については『千のプラトー』の第13章「BC七〇〇〇年——捕獲装置」を参照せよ。

139——The Stranger-King, or Dumézil amog Fijians in *The Journal of Pacific History*, vol.16, No.3. July 1981.

140——Marshall Sahlins, *Islands of History*, p.73.（マーシャル・サーリンズ、『歴史の島々』、九九頁）

前述の文明すべては、基本的に親類縁者、さまざまなリネージやクランからなっているが、上位社会としての支配者は、社会を超越したものとしても認識されている。かれらが道徳上、社会を超越しているように、かれ自身も社会の彼岸からやって来ており、かれの出現は一種のおそるべき顕現《エピファニー》なのである。政治の世界の偉大な首長や王は、かれらの支配する民を出自とするものではない、というのはまぎれもなく共通の事実である。[141]

ここでいわれる「外来王」は、社会を「超越」した外部から、「一種のおそろしいエピファニー」としてあらわれるという点で、原国家の性格に似ている（それ以外にもサーリンズは「とつぜん嵐のごとく出現する」とも表現している）。外部性、突如として一挙にあらわれる、といった性格である。さらに、その王の「専制的」で残酷な性格である。かれはすべての土着の親族コードを破壊する。「親族としての行為をまさしく否定する、という暴力の原型は、クラストルのテーゼ［…］をおぎなってあまりあるものである。権力は民自身の道徳秩序を破壊するものとして、とりわけ親族に対する犯罪のなかでも最悪のもの、すなわち兄弟殺し、親殺し、母子相姦、父娘相姦、兄弟姉妹相姦として姿をあらわし、みずからを定義するのである[142]」。つまり、ここでは国家のようなもの（至高の権力、すべてのルールの上にあってそれに制約されない権力という意味での「主権」である）は、社会の内側からその論理の延長上にあらわれるのではなく、外側から一挙にあらわれるというかたちで、クラストルのアポリアの一端にふれている。

とはいえ、これがどうクラストルのいう「抗する」力学と関係しているのだろうか。実は、土着の人々はこの外来王の「主権」、すべての土着の法や規範の上にたちそれを形成し破壊する力能である至高の権利を、あの手この手で封じている。まず首長の娘と婚姻させる。さらに儀式として土着の人々の手によって毒物で殺害される。出自における切断、そして縁組みにおける再開である。この契機が、王の民衆による吸収であり馴致、囲い込みであるわけだ。ここにクラストルのいう国家の祓い除けの力学が作動している。

とはいえここにみられるのは、アンデス低地の先住民たちの首長をめぐる力学とは異なり、すでにコードが破られ、国家あるいは国家的要素（「主権」である）が外部から一挙に到来するなかで、さらに国家を祓い除けようとする力学である。これは、サーリンズとグレーバーの手によって、あらためてディヴァイン王権［divine kingdom］とセイクリッド王権［sacred kingdom］の力学として定式化される。本来、あらゆる法や規範を超越しその行使において無制約であるはずの王の力能ないし権利が、土着の民衆によってタブーなどのあれこれによってがんじがらめにされる。無制約の位置にある王が鎮座している場合は前者のディヴァイン王権であり、それがさまざまな装置によって制約されている場合は後者のセイクリッド王権である。▼143 たとえば、このような

141――*ibid.*, p.78.（一〇五頁）

142――p.79.（一〇七頁）

事例もある。先ほどふれたように、シルック族の王は、みずからの現前する範囲では破壊的な至高の権力を行使できる。ただし、その現前する範囲が厳格に限定されていて、それを行使する機会はミニマムなものになっている。ここには主権があるが、その主権の主権者の現前の範囲を超えて拡大し、恒常化させていくのに必須の行政装置が不在なのである。これは、はたして「国家」なのだろうか？

近年のサーリンズの展開は、先ほどふれたグレーバーのいう「不可視の政府」と関連して、もう一点興味深い論点を提示している。もはや、十分に展開する余裕はないが、最後にふれておきたい。

サーリンズは、かつての「初源の豊かな社会」を想起させるタイトルの「初源の政治社会［Original Political Society］」という論文で、とりわけ人類学者のA・M・ホカートに依拠しながら、王、あるいは国家のようなものを人類史全体に拡張する。どういうことなのだろうか。

くり返しになるが、アフリカのティブはみずからを「妖術師たちからなる不可視の政府」に統治されているとみなしていた。サーリンズのいう「初源の政治社会」もまさに、神さまたち、霊たち、死者たち、祖先たち、悪魔たち、自然（に具現される精霊）たちなどなどのような存在によって統治されている。すなわち、サーリンズが「メタパーソン」と呼ぶレベルでの統治のことである。サーリンズの主張は、こうである。どのような首長なき平等主義的社会であっても、かならず「メタパーソン」による統治が存在するのであって、ひとつのヒエラルキーをもつ宇宙——たいてい天上、地上、地下の三界からなる——によって、わたしたちの社会的諸関係も包摂され、そしてそのうちに、わたしたちは統治されている。その意味では「自然状態は」すでに「国家状態」である。それをサーリンズは、ホカートの言葉を借りて「宇宙的政体［cosmic polity］」と呼ぶ。

たしかに、わたしたちの社会でも、かつて「ご先祖様のバチがあたる」ということでわたしたちの行為は規制されていた。たとえば、古代から中世にかけての貴族の生活が、がんじがらめのタブーやルールによって規制されていたことは知られているが、そのルールの強制を可能にしていたのは、それを破ったさいに「怨霊」のような「メタパーソン」によって処罰されるからである。要するに、それは人間による強制ではないのだが、しかしやはり、剝奪や死のようなかたちでの罰則による強制が作動している。

そう考えるならば、クラストルの対象としたアンデス低地のルーズに構造化された狩猟採集

143—— divine kingship と sacred kingship は、ともに、神聖王権、神なる王権、聖なる王権といった日本語があてられ、しばしば互換的に使用されている。サーリンズとグレーバーは、この二つの用語を厳密に概念的に区別して用いている。David Graeber and Marshall Sahlins, *On Kings*, HAU Books, 2017. なお、これについてはフレイザーの『金枝篇』はいうまでもなく、A・M・ホカート『王権』（橋本和也訳、岩波文庫、二〇一二年）、とりわけ sacred の概念について詳細には、リュック・ド・ウーシュ『アフリカの供犠』（浜本満、浜本まり子訳、みすず書房、一九九八年）などを参照せよ。

民ですら神々の存在に従属している。

> たとえ地上に首長が存在しないときですら、天国には王のごとき存在がある［…］。したがって、自然状態は国家状態をもっている。究極的な生死の権力をもつメタパーソンの諸権威による人間社会のガバナンスという点では、国家のようなものは普遍的な人間の条件である。[144]

サーリンズはこれもまたホカートにならって、強調する。神が王を模倣するのではなく（社会が神に先立ち、社会のなにがしかの要素を投射するのではなく）、王が神を模倣する。王は宇宙の神性の模倣である、と。エミール・デュルケームが代表する慣習的な発想は、神とは社会の反映、社会の力の投影である、要するに、神は王のようなものの模倣であるとみなしていた。それに対して、ホカート、そしてホカート主義者を自認するサーリンズは、「諸神が諸王の模倣というよりも、諸王が諸神の模倣である」という。「人類史のなかで、王の権力は、神の権力［divine power］からの派生物であり、それに依存している。実際、大きな王国のみならず国家のない社会も劣らず、人間の諸権威は支配的なコスミックな諸力を模倣している。縮小された形態であるにしても[145]」。

未開社会は、この「メタパーソン」による統治のもとで平等なる関係をなんらかの仕方で維持しながら、その統治が「パーソン」に受肉され分離した権力の位置を人間が占めることで、人間どうしの関係性が支配／被支配の関係に転じるのを阻止している。とはいえ、なおもそれによって「国家のある社会」へと、「自発的隷従」につらぬかれた支配／被支配の関係へとすべて転じるわけではない。たとえ王権が存在したとしても、そしてそこでは「おとがめなしに力を行使できる」ひとつの分離した権力が実現していたとしても、民によってその力の行使が空間的に可能なかぎり限定されることもある。これもまたサーリンズのいうように「国家に抗する」力学なのである。

とするならどうだろうか。

ドゥルーズ＋ガタリやロローの路線で、未開社会の動態を、その外部（帝国など）や内部における複数の力——価値やモラルなどふくむ——によってさらに複雑で亀裂と矛盾に充ちたものとしてみる道がひらかれた。

いっぽう「原国家」の概念は、アジア的専制国家をモデルとしている。すなわち、それは少なくとも強力な主権と強大な行政機構によって構成されていたのである。それに対して、人類学的エビデンスは、主権があっても行政機構——主権の作用を拡大し、恒常化させる装置と

144——Graeber and Sahlins, Introduction : Theses on kingship, in *On Kings*, p.2-3.

145——*ibid.*, 3.

してのーーの不在である社会のありようを示唆してきた。つまり、ここでは、国家というものは、王権あるいは主権、さらに行政機構といった複数の要素に解体され、さらにその力の行使も錯雑したものとなっている。クラストルの「抗する」力学の発見は、このようにクラストルも、あるいは原国家仮説すらもいまだ実定的なものとして前提していたもろもろの諸装置へと分解しながら、世界のあたらしい像をえがきはじめている。▼[146]

146—— David Graeber, Notes on the politics of divine kingship or, elements for an archaeology of sovereignty, in Graeber and Sahlins, *On Kings*. あるいはDavid Graeber, *Anarcy—In a Manner of Speaking*, DIAPHANES, 2020. を参照せよ。

訳者あとがき

本書はPierre Clastres, Entretien avec *L'Anti-mythes*, Sens & Tonka, 1974の翻訳である。

背伸びをしながら人文社会科学的な知的世界に足を踏み込み、ほとんど右も左もわからないまま難解の迷宮をさまよっているとき、ひとつひとつ積み重ねるように理解を深めるよりは、一挙に光が差し込むようにパッとひとつの世界の輪郭をすみずみまで照らし出してくれるようなテキストとの遭遇がある。そうした遭遇はまれであろうが、たぶん、知的文物と格闘しているひとには、だれしもあるものだろう。訳者にとってそのひとつが、『GS』という分厚い雑誌に掲載された「暴力の考古学」（丹生谷貴志、千葉文夫訳）であった。未開社会はしょっちゅう戦争をやっているが、それも国家を拒絶するためなんて、ちょっと世界がひっくり返るようなお話ではないか！　この衝撃とともにひらかれた地平のなかを、暴力や権力について考えながら、訳者はずっとうろついている。今回の作業は、その地平が実際にどのようなものか、一度きちんと確認したいという動機にも根ざしている。

したがって、人類学領域外の人間ではあるが、こうした知的恩恵を受けたものとして、というよりは、なによりも好物であるクラストルのテキストの翻訳にかかわることができたということは、訳者にとってなによりもよろこびである。

このインタビューは「クラストル入門」的によく読まれているようで、ウェブ上にほぼ全文があがっているテキストにざっと目は通していた。しかし翻訳にいたるきっかけは、むしろミゲル・アバンスールの方向からだった。訳者はアバンスールのブランキ論（そしてブランキとベンヤミン論）をとても気に入っていて、出版の見込みのもとに翻訳をはじめていた。この出版の見込みは、粗い訳を終えた時点で消えてしまっていたのだが、そのかんにかき集めたアバンスール関連のテキストのなかにクラストルがらみのテキストがいくつかあった。アバンスールがクラストルの思考の普及にかくも尽力し、人類学の領域外へのクラストルの思考の越境に最も献身した人物であることを、その過程で知ることになる。

アバンスールとおなじく人類学者ではない訳者のひとつの課題は、このような異質な思考圏の遭遇とその文脈、そしてその可能性と限界を画定することであるとおもった。もちろん不十分ではあるが、それを解題で試みたつもりではある。

もちろん、まだ論じたいことはたくさんある。とりわけ「エスノサイド」と資本主義について、パンデミックのもとでのアメリカ先住民の苦境をふまえつつその射程を書き留めておくべきであったが、それについては別の機会に譲らざるをえない。

ここで、どうしても書き留めておかねばならないことがある。悲しむべきことに、作業の過程で、クラストルの強力な影響下にあって、人類学領域で最も生産的な思考を展開させていたデヴィッド・グレーバー、そしてその師であるマーシャル・サーリンズがたてつづけに亡くなったことだ。

まさに一九六八年、サーリンズはクロード・レヴィ＝ストロースの研究室の招きで一年間パリに滞在している。その時期、高見の傍観を決め込む御大（レヴィ＝ストロース）を横目に、サーリンズとクラストルは、毎日のようにカフェテリアでランチを食べながら、民族誌について、そして革命について熱い議論を交わし、そして積極的に街路にくり出していたという。解題でも述べたが、クラストルの思考の十全なる展開を可能にしたのは、まさにサーリンズの「初源の豊かな社会」のヴィジョンであった。サーリンズもクラストルへの応答をつづけ、最後にその集大成もいうべき、弟子のグレーバーとの共著『諸王論（*On Kings*）』を残して亡くなった。この「ポスト・クラストル」の高峰ともいうべき書物、わずか数年前に公刊されたばかりの書物の著者が、二人ともにこの世にすでにいないということ、クラストルの最大の共鳴板が、突然、この世から消えてしまったことの喪失の意味を、この翻訳作業のなかでも、ときに考え込まざるをえなかった。

最後に忘れてはならない件をひとつ。本研究はアジア・アフリカ言語文化研究所の共同利用・共同研究課題「負債の動態に関する比較民族誌的研究」およびJSPS科研費JP19H01388の成果の一部である。佐久間寛さんをはじめとする錚々たる人類学研究者たちをメインとする研究グループの片隅に訳者は混ぜていただいているのだが、昨年夏の研究会にて、本書の解題の原案となる報告をおこない、そこで有益な指摘を多くいただいた。そこでの議論を本書では反映させているつもりであるが、もちろん、まだまだ応じ切れていない。

これで本当に最後なのだが、この仕事をやる動機のひとつには、こうしたこととは別に、洛北出版の竹中尚史さんとの仕事をしたいというものがあった。長年、おつきあいがあり、いつかは一緒に仕事をしたいとおもっていつつ、ぐだぐだなまま今日にまでいたってしまったが、ようやくそのねがいもかなうことができた。しかも、竹中さんは松籟社に在籍されていたとき、クラストルの『大いなる語り』の翻訳を担当されている。これ以上望みようのない、共同作業者であったというべきだろう。

二〇二一年九月

酒井隆史

マ

ラ

人　名

ア

カ

サ

タ

ナ

ハ

ま

や

ら

た

な

は

さ

索　引

ⓐあくまで日本語表現として本文に出現した言葉である。
ⓑ13 ～ 103頁はクラストルへのインタビューのページ、108頁以降は解題者が言及したページを指す。

ピエール・クラストル Pierre Clastres

1934年パリに生まれる。フランスの人類学者。ソルボンヌ大学でヘーゲルとスピノザを研究し哲学を修め、1956年以降、クロード・レヴィ＝ストロースの学生として人類学の研究をはじめる。さらにアルフレッド・メトロの指導のもとに南アメリカをフィールドにした政治人類学研究を開始。その後、高等研究院教授となる。1977年7月、その影響力のきわみにあるなか、自動車事故によって他界した。

日本語に翻訳された著作として、『グアヤキ年代記——遊動狩人アチェの世界』（毬藻充訳、現代企画室、2007年）、『国家に抗する社会——政治人類学研究』（渡辺公三訳、水声社、1987年）、『大いなる語り——グアラニ族インディオの神話と聖歌（毬藻充訳、松籟社、1997年）、『暴力の考古学——未開社会における戦争』（毬藻充訳、現代企画室、2003年）などがある。

訳・解題 **酒井隆史** Takashi Sakai

1965年生。大阪府立大学教員。専門は社会思想、都市史。著書として、『通天閣——新・日本資本主義発達史』（2011年、青土社）、『暴力の哲学』（2004/2016年 河出文庫）、『完全版 自由論——現在性の系譜学』（2001/2019 河出文庫）など。訳書として、デヴィッド・グレーバー『負債論——貨幣と暴力の5000年』（共訳、2016年、以文社）、『官僚制のユートピア』（2017年、以文社）、『ブルシット・ジョブ——クソどうでもいい仕事の理論』（共訳、2020年、岩波書店）。アントニオ・ネグリ＆マイケル・ハート『〈帝国〉——グローバル化の世界秩序とマルチチュードの可能性』（共訳、2003年、以文社）。マイク・デイヴィス『スラムの惑星——都市貧困のグローバル化』（共訳、2010年、明石書店）など。

国家をもたぬよう
社会は努めてきた —— クラストルは語る

2021年10月10日 初版 第1刷発行
2023年 9月10日 初版 第2刷発行

四六判・総頁数268頁（全体272頁）

発行者 竹中尚史
本文組版・装幀
装画とイラスト 洛北出版

著者 ピエール・クラストル
訳・解題 酒井隆史

発行所 洛北出版
606-8267
京都市左京区北白川西町87-17
tel / fax 075-723-6305
info@rakuhoku-pub.jp
http://www.rakuhoku-pub.jp
郵便振替 00900-9-203939

印刷 シナノ書籍印刷

Printed and bound in Japan

ISBN 978-4-903127-32-3 C0010

定価はカバーに表示しています
落丁・乱丁本はお取り替えいたします

排除型社会　後期近代における犯罪・雇用・差異

ジョック・ヤング 著　青木秀男・岸 政彦・伊藤泰郎・村澤真保呂 訳

四六判・並製・542頁　定価（本体2,800円＋税）

「包摂《ほうせつ》型社会」から「排除型社会」への移行にともない、排除は3つの次元で進行した。⑴労働市場からの排除。⑵人々のあいだの社会的排除。⑶犯罪予防における排除的活動——新たな形態のコミュニティや雇用、八百長《やおちょう》のない報酬配分を、どう実現するか。

レズビアン・アイデンティティーズ

堀江有里 著　四六判・並製・364頁　定価（本体2,400円＋税）

生きがたさへの、怒り——「わたしは、使い古された言葉〈アイデンティティ〉のなかに、その限界だけでなく、未完の可能性をみつけだしてみたい。とくに、わたし自身がこだわってきたレズビアン（たち）をめぐる〈アイデンティティーズ〉の可能性について、えがいてみたい。」——たった一度の、他に代えられない、渾身《こんしん》の一冊。

立身出世と下半身　男子学生の性的身体の管理の歴史

澁谷知美 著　四六判・上製・605頁　定価（本体2,600円＋税）

少年たちを管理した大人と、管理された少年たちの世界へ——。大人たちは、どのようにして少年たちの性を管理しようとしたのか？　大人たちは、少年ひいては男性の性や身体を、どのように見ていたのか？　この疑問を解明するため、過去の、教師や医師による発言、学校や軍隊、同窓会関連の書類、受験雑誌、性雑誌を調べ上げる。

飯場へ　暮らしと仕事を記録する

渡辺拓也 著　四六判・並製・506頁　定価（本体2,600円＋税）

職場の共同性を切りつめていく理不尽《りふじん》な圧迫を、私たちは、どのように押し返せばよいのだろうか。本書は、飯場《はんば》の一人ひとりの労働者が置かれた関係性に注目し、この問いに迫る。どういうルートで飯場に入るのか、どんな労働条件で仕事をするのかを、「僕」の飯場体験にもとづいて詳しく描き、考え抜いている。

荷を引く獣たち　動物の解放と障害者の解放

スナウラ・テイラー著　今津有里 訳　四六判・並製・444頁　定価（本体2,800円＋税）

もし動物と障害者の抑圧がもつれあっているのなら、もし健常者を中心とする制度と人間を中心とする倫理がつながっているのなら、解放への道のりもまた、交差しているのではないか。壊れやすく、依存的なわたしたち動物は、ぎこちなく、不完全に、互いに互いの世話をみる。本書はそのような未来への招待状である。アメリカン・ブック・アワード（2018年度）受賞作品！

2021年9月20日時点
在庫のある書籍

何も共有していない者たちの共同体

アルフォンソ・リンギス 著　野谷啓二 訳　田崎英明・堀田義太郎 解説

四六判・上製・284頁　定価（本体2,600円＋税）

私たちと何も共有するもののない——人種的つながりも、言語も、宗教も、経済的な利害関係もない——人びとの死が、私たちと関係しているのではないか？ すべての「クズ共《ども》」のために、出来事に身をさらし、その悦《よろこ》びと官能を謳《うた》いあげるリンギスの代表作。

汝の敵を愛せ

アルフォンソ・リンギス 著　中村裕子 訳　田崎英明 解説

四六判・上製・320頁　定価（本体2,600円＋税）

イースター島、日本、ジャワ、ブラジル……旅をすみかとする哲学者リンギスが、異邦《いほう》の土地で暮らすなかで出会った強烈な体験から、理性を出しぬき凌駕《りょうが》する、情動や熱情のありかを描きだす。自分を浪費することの（危険な）歓喜《かんき》へのガイドブック。

食人の形而上学　ポスト構造主義的人類学への道

エドゥアルド・ヴィヴェイロス・デ・カストロ 著　檜垣立哉・山崎吾郎 訳

四六判・並製・380頁　定価（本体2,800円＋税）

ブラジルから出現した、マイナー科学としての人類学。アマゾンの視点からみれば、動物もまた視点であり、死者もまた視点である。それゆえ、アンチ・ナルシスは、拒絶する——人間と自己の視点を固定し、他者の中に別の自己の姿をみるナルシス的な試みを。なされるべきは、小さな差異のナルシシズムではなく、多様体を増殖《ぞうしょく》させるアンチ・ナルシシズムである。

叫びの都市　寄せ場、釜ヶ崎、流動的下層労働者

原口 剛 著　四六判・並製・410頁　定価（本体2,400円＋税）

夜の底、うねり流れる群《む》れ——「流動的下層労働者」たちは、かつて、職や生存を求め、群れとなった。かれらは、都市空間の深みを潜り抜けたのだ。陸と海を、山谷《さんや》－寿町－笹島－釜《かま》ヶ崎《さき》を行き交う群れ。その流動は、いかなる空間を生み出していったのか。「寄《よ》せ場《ば》」の記憶は、今を生き残る術《すべ》を手繰りよせるための、切実な手がかりなのだ。

シネキャピタル

廣瀬 純 著　四六判・上製・192頁　定価（本体1,800円＋税）

シネキャピタル、それは、普通のイメージ＝労働者たちの不払い労働にもとづく、新手《あらて》のカネ儲《もう》けの体制！ それは、どんなやり方で人々をタダ働きさせているのか？ それは、「金融／実体」経済の対立の彼方《かなた》にあるものなのか？　オビの推薦文＝蓮實重彥。